CHWARAE'N TROI'N CHWERW

CHWARAE'N TROI'N CHWERW

Tudur Williams

Argraffiad cyntaf: Gorffennaf 2001

ⓗ *awdur/Gwasg Carreg Gwalch*

Rhif Llyfr Safonol Rhyngwladol:
0-86381-741-6

Dymuna'r cyhoeddwyr gydnabod cymorth
Adrannau Cyngor Llyfrau Cymru.

Cyhoeddwyd dan gynllun comisiynu Cyngor Llyfrau Cymru.

Argraffwyd a chyhoeddwyd gan Wasg Carreg Gwalch,
12 Iard yr Orsaf, Llanrwst, Dyffryn Conwy, LL26 0EH.
☎ 01492 642031
🖨 01492 641502
✆ llyfrau@carreg-gwalch.co.uk
Lle ar y we: www.carreg-gwalch.co.uk

1

'Dyfrig! Tyrd i lawr y grisiau 'ma ar unwaith!'

Doedd Dyfrig ddim yn hoffi tôn llais ei dad. Mae'n debyg bod ffrae arall i ddod.

'Ar unwaith, ddwedais i!' bloeddiodd ei dad eto.

Cerddodd Dyfrig yn araf i lawr y grisiau ac i mewn i'r lolfa. Roedd ei dad yn sefyll ar ganol y llawr. Roedd ei wyneb yn goch ac roedd yn chwifio darn o bapur yn ei law.

'Wel, beth sy gen ti i'w ddweud am hyn?' gwaeddodd nerth ei ben.

'Oes rhaid i ti weiddi, Dad? Dw i ddim yn fyddar!'

'Paid â meiddio . . . '

'Dyfrig, sut fedret ti?' Ei fam oedd yn siarad y tro hwn.

'Gwneud be? Am be 'dach chi'n rwdlan?'

'Rwdlan! Dyna beth rwyt ti'n galw'r llythyr 'ma?'

'Pa lythyr?'

'Y llythyr 'ma o'r ysgol. Paid â chymryd arnat dy fod ti'n gwybod dim byd amdano!'

'O, am noson goffi'r rhieni neithiwr. Mae'n ddrwg gen i, Mam, anghofiais i dy fod ti ar y pwyllgor a bod disgwyl i ti fynd.'

'Noson goffi, wir!' Roedd wyneb ei dad yn gochach fyth erbyn hyn.

'Rwyt ti'n gwybod yn iawn pam mae'r ysgol wedi sgwennu aton ni. Gwranda ar hyn, 'machgen i!' a dechreuodd ei dad ddarllen y llythyr yn uchel.

Annwyl Mr a Mrs Lewis,

Fe gofiwch, mae'n siŵr, i mi ysgrifennu atoch dri mis yn ôl oherwydd bod y dirprwy brifathro wedi dod o hyd i Dyfrig yn ysmygu ar dir yr ysgol. Roedden ni hefyd yn pryderu bod Dyfrig yn gwneud bron dim ymdrech yn ei waith.

Yn anffodus, ychydig iawn o welliant sydd wedi bod ers hynny, a ddydd Llun bu Dyfrig yn haerllug iawn wrth ei athrawes Hanes. Hyd yn hyn mae wedi gwrthod ymddiheuro i Miss Jones, ac wedi bod yn absennol o'i wersi Hanes heb ganiatâd.

Nid wyf yn barod i dderbyn y fath ymddygiad. Os na fydd Dyfrig yn barod i ymddiheuro i Miss Jones ar unwaith, a dod i'r gwersi'n rheolaidd, yna ni fydd gennyf ddewis ond ei wahardd o'r ysgol.

Rwy'n gwybod eich bod chi'n gefnogol iawn i'r ysgol ac i Dyfrig. Buaswn i'n croesawu'r cyfle i drafod y mater hwn ymhellach â chi.

Yr eiddoch yn gywir,
D. Huws
Prifathro

'Wel, beth sy gen ti i'w ddweud am hynny?'

'Paid â chynhyrfu gormod, Llew,' ymbiliodd ei wraig, 'neu mi gei di drawiad. Rhaid i ni drafod hyn yn rhesymol.'

'Rhesymol? On'd ydw i wedi trio trafod pethau'n rhesymol efo'r hogyn yma ers misoedd?'

'Yli, Dad, dw i wedi dweud wrthat ti o'r blaen fy

mod i wedi cael llond bol yn yr ysgol; mae o mor ddiflas. Beth bynnag, dw i'n un ar bymtheg rŵan a dw i isio 'madael.'

'Sawl gwaith dw i wedi ceisio dy gael di i ddallt mai'r unig ffordd i gael swydd dda ydy trwy lwyddo yn dy arholiadau, mynd i'r brifysgol a chael gradd dda.'

'Lol i gyd! Dydy cael gradd ddim yn sicrhau swydd dda i chi heddiw. Mae'n llawer gwell cael gwaith yn syth na gwastraffu blynyddoedd yn astudio. Mae 'na nifer fawr o rai sy 'di graddio yn gyrru bysys ac yn gweithio ar lawr y ffatri heddiw!'

'Pam na fedri di fod fel Delyth? Mae hi'n gydwybodol ac yn gwneud ei gorau yn yr ysgol.' Roedd ei dad wedi codi ei lais eto.

'Y peth pwysig rŵan ydy ymddiheuro i Miss Jones ar unwaith a dechrau cymryd dy waith o ddifrif,' torrodd ei wraig ar ei draws mewn ymgais i dawelu'r ddau.

'Dim ffiars o beryg! Wna i byth ymddiheuro i'r hen ast!'

'Dyfrig!' gwaeddodd ei fam yn syn.

'Chawn ni ddim iaith fel 'na yn y tŷ hwn! Mi wnei di ymddiheuro a dyna ddiwedd arni!' Roedd ei dad yn mynd yn fwy dig bob eiliad.

'Dim gobaith! Mi adawa i'r ysgol a chael gwaith. Mi gewch chi stwffio'ch blydi ysgol!'

Daeth llaw ei dad ar draws wyneb Dyfrig unwaith ... ddwywaith ... deirgwaith. Neidiodd Dyfrig yn ôl mewn braw. Doedd ei dad erioed wedi ei daro, hyd yn oed pan oedd yn blentyn bach. Trodd a rhedeg o'r ystafell ac i fyny'r grisiau.

Taflodd ei hun ar ei wely. Roedd ei wyneb yn brifo'n ofnadwy. 'Bastard! Bastard!' gwaeddodd.

Yna clywodd lais ei dad yn gweiddi o waelod y grisiau. 'Ac mi gei di aros yn dy stafell drwy'r nos heno. Os ei di allan mi fydd y drws wedi'i gloi!' Aeth yn ôl i'r lolfa a chau'r drws yn glep.

Gwasgodd Dyfrig fotwm ei beiriant casét a throi'r gerddoriaeth i fyny'n uchel. Roedd pethau'n rhedeg yn wyllt trwy ei feddwl. Roedd i fod i fynd i'r Clwb Ieuenctid heno, a byddai'r hogiau'n aros amdano yn y Plough . . . Roedd o wedi trefnu cyfarfod â Delyth.

Cododd oddi ar ei wely; roedd ei wyneb yn dal i frifo. Edrychodd yn y drych a gweld fod ei wyneb yn goch iawn. Roedd yn teimlo'n wyllt efo'i dad. Yna penderfynodd: byddai *yn* mynd allan, bygythiad ei dad neu beidio. Fyddai o ddim yn cadw at ei air ynglŷn â chloi'r drws; byddai arno ofn i'r cymdogion glywed sŵn.

Gwisgodd ei jîns a chrys-T yn sydyn a rhoi brws trwy ei wallt. Cerddodd yn benderfynol i lawr y grisiau ac allan trwy'r drws ffrynt.

2

Pan gyrhaeddodd y Plough, aeth yn syth at y bar i godi peint. Roedd Dyfrig yn edrych tua deunaw neu bedair ar bymtheg oed a doedd o ddim wedi cael unrhyw drafferth cael ei syrfio ers iddo ddechrau dod i'r Plough ryw chwe mis yn ôl. Nid bod tafarnwr y Plough yn poeni llawer am oed ei gwsmeriaid; roedd ei elw ar ddiwedd y dydd yn llawer pwysicach iddo.

Drachtiodd hanner y cwrw oedd yn y gwydr peint, tanio sigarét a mynd i eistedd gyda'i ffrindiau wrth fwrdd yn y gornel.

'Ew, mae syched mawr arnat ti, Dyf!' chwarddodd Cen, un o'r ddau ffrind. 'Wyt ti'n gêm am sesh heno?'

'Baswn i wrth fy modd, ond 'sgen i ddim llawer o bres.'

'Be wyt ti wedi'i wneud i dy wyneb, Dyf?' gofynnodd Meic, yr hogyn arall, yn sydyn. 'Efo pwy rwyt ti wedi bod yn cwffio?'

Am eiliad doedd Dyfrig ddim yn gwybod beth i'w ddweud. Doedd o ddim eisiau edrych yn ffŵl o flaen ei ffrindiau, felly penderfynodd fod yn rhaid iddo roi tipyn o liw i'r stori.

'Ges i ddadl uffernol efo 'nhad. Mae Huws y prifathro wedi sgwennu ato am y ffrae ges i efo Lisi Hanes. Mae'n dweud yn ei lythyr fod yn rhaid i mi ymddiheuro ar unwaith neu adael yr ysgol.'

'Cael dy daflu allan!' dywedodd Meic yn syn.

"Sdim ots gen i, dw i isio 'madael.'

'Ond be am dy arholiadau ddiwedd y flwyddyn?' gofynnodd Meic yn bryderus.

'Dy dad wnaeth hyn i ti?' torrodd Cen ar eu traws.

'Ie.'

'Rargian fawr, mae'n ddrwg ar grefydd heddiw,' chwarddodd Cen. 'Athro ysgol Sul yn ymddwyn fel 'na!'

'Mae'n rhaid ei fod o o'i go,' ychwanegodd Meic.

'Wel, mi ddwedais i *f . . . off* wrtho, ac mi drawodd o fi ar draws fy wyneb, y bastard!'

Roedd llygaid Meic fel soseri erbyn hyn, ond cyn i neb fedru holi mwy, cyrhaeddodd y genethod.

"Dach chi'n dod?' gofynnodd Catrin.

'Cymerwch ddiod cyn mynd, mae'n ddigon cynnar eto,' cynigiodd Cen.

'Dw i wedi addo i'r genod eraill y baswn i yno erbyn wyth,' atebodd Delyth.

'Wel, dw i isio peint arall cyn mynd,' meddai Dyfrig.

'Mi awn ni 'ta.'

'Mi wela i ti nes ymlaen, Catrin, dw i am aros efo Dyfrig,' atebodd Cen.

'Mi a' i rŵan, dw i'n meddwl,' dywedodd Meic.

'Ew, gwylia dy hun efo'r ddwy yna, maen nhw'n beryg bywyd. Byddan nhw wedi neidio arnat ti cyn cyrraedd y clwb!' chwarddodd Dyfrig yn sbeitlyd.

Cochodd Meic ond ddywedodd o ddim byd. Roedd wedi cael llond bol ar dynnu coes Cen a

Dyfrig, ond roedd yn methu eu hateb yn ôl. Dod o hyd i'r geiriau'n ddigon sydyn oedd y broblem bob tro. Byddai'n cael yr un drafferth gyda genethod, pan oedd arno eisiau gofyn i un ddawnsio mewn disgo neu fynd allan i'r sinema.

Cafodd Dyfrig a Cen ddau beint arall cyn gadael y dafarn, ac mae'n siŵr y byddent wedi yfed tri neu bedwar petai ganddynt fwy o bres. Wedi cyrraedd y clwb doedd gan Dyfrig fawr o awydd aros yno i chwarae snwcer a gwrando ar recordiau gyda'r lleill, a gofynnodd i Delyth fynd allan am dro gyda fo.

Cytunodd hi ar unwaith, ac ar ôl cyrraedd y parc rhoddodd Dyfrig ei fraich o gwmpas ei chanol, ei thynnu ato a cheisio'i chusanu, ond cafodd ei wthio i ffwrdd ganddi.

'Paid! Rwyt ti'n fy mrifo i, ac rwyt ti'n drewi o gwrw a sigaréts!'

'Tyrd, does neb o gwmpas. Dw i ddim wedi cael mwy na chusan fach gen ti ers mis,' a gafaelodd ynddi'n dynnach y tro hwn.

Llwyddodd Delyth i dynnu'n rhydd unwaith yn rhagor. 'Dos o 'ma!'

'Be ddiawl sy'n bod arnat ti?' gwaeddodd Dyfrig yn gas arni. 'Rwyt ti fel oergell y dyddiau yma. Dydy Cen ddim yn cael yr un drafferth efo Catrin. Mae hi'n ei blesio fo bob tro.'

'Mae'n well i ti fynd ar ôl geneth fel Catrin, felly.'

'Ond dw i dy isio di, Delyth.'

'Ac rwy'n dy garu di, Dyf. Duw a ŵyr pam. Ond

13

mae gen i fy safonau.'

'Safonau?'

'Ie, y rhai a ddysgodd dy dad, o bawb, i mi yn y dosbarth ysgol Sul. Roeddet ti yno, cofia, yn yr un dosbarth.'

'Paid â f'atgoffa i! Ac rwyt ti'n dal i fynd i'r capel bob dydd Sul, chwarae teg,' dywedodd yn wawdlyd.

'Mi gei di chwerthin am fy mhen os wyt ti isio. Rwy'n cytuno bod y gwasanaethau'n ddiflas, ond dw i'n falch fy mod i wedi cael fy nghodi yn y capel. Sut arall medrith rhywun ddysgu'r gwahaniaeth rhwng da a drwg?'

'Iawn, paid â phregethu rŵan. Yli, mae'n ddrwg gen i am fod yn gas efo ti heno. Dw i wedi cael tipyn i'w yfed. Fydd o ddim yn digwydd eto . . . Beth am fynd i weld ffilm nos yfory?'

'Fedra i ddim dod, mae arna i ofn. Dw i'n mynd i gystadlu efo'r côr.'

'Nid y côr cerdd dant?' gofynnodd Dyfrig a gwawd yn ei lais unwaith eto. 'Waw! Dyna ddiddorol!'

'Dw i ddim yn mynd i ddadlau efo ti am hynny eto. Dw i wrth fy modd yn y côr, ac mi fasai'n llawer iawn gwell i ti wneud rhywbeth mwy diwylliedig nag yfed yn yr hen dafarn 'na o hyd. Dw i'n mynd adref,' a cherddodd Delyth i ffwrdd.

Roedd Dyfrig yn teimlo'n flin iawn gyda hi, ond gan ei fod o eisiau i'w rieni fod yn y gwely cyn iddo gyrraedd adref, penderfynodd fynd yn ôl i'r clwb.

Doedd dim sôn am Cen, ond ymunodd Dyfrig mewn gêm o snwcer gyda rhai o'r hogiau eraill.

Aeth Dyfrig i nôl sglodion gyda'r lleill ar ôl i'r clwb gau, a gwelodd Cen yn cerdded i lawr y stryd. Roedd wedi danfon Catrin adref. Broliodd Cen am yr amser da roedd wedi'i gael gyda Catrin. Soniodd Dyfrig am yr amser da roedd yntau wedi'i gael hefyd; doedd o ddim am i'w ffrind wybod y gwir.

Roedd hi'n chwarter i hanner nos erbyn i Dyfrig gyrraedd y tŷ. Roedd yn gwybod y byddai ei rieni yn y gwely'n cysgu bellach. Tynnodd y goriad o'i boced a'i roi yn y clo, ond roedd yn methu ei droi o gwbl. Daeth rhybudd ei dad yn ôl i'w feddwl. Na, fyddai o byth yn cadw at ei air. Cerddodd at y drws cefn, ond roedd hwnnw hefyd ar glo. Beth fedrai o ei wneud rŵan?

3

Eisteddodd Dyfrig ar stepen y drws cefn am dipyn. Doedd ganddo ddim syniad beth i'w wneud. Roedd hi'n rhy hwyr i fynd i dŷ ffrind neu berthynas i ofyn am gael aros yno. Yn sydyn, meddyliodd am y siéd yng ngwaelod yr ardd. Ie, medrai gysgu yno. Ond unwaith eto, roedd y drws ar glo.

Edrychodd i fyny at ffenest ystafell wely ei rieni ond roedd tywyllwch ymhobman yn y tŷ. Yna sylwodd fod ffenest fach yr ystafell ymolchi ar agor. Fyddai'n bosib iddo fynd trwy honno? Penderfynodd mai dyma'i unig obaith.

Cafodd drafferth mawr dringo i fyny'r beipen ddŵr ac wrth iddo fynd yn uwch roedd arno ofn edrych i lawr. Doedd hi ddim yn hawdd wedi cyrraedd silff fach y ffenest. Roedd yn rhaid iddo sefyll arni, rhoi ei fraich i mewn trwy'r ffenest fach a cheisio agor yr un fawr. O'r diwedd llwyddodd i'w hagor a dringodd i mewn yn ddiolchgar. Cerddodd ar flaenau ei draed i'w lofft, ac yn ffodus ddaeth dim sŵn o gwbl o ystafell ei rieni.

Dadwisgodd yn sydyn a dringo i mewn i'w wely. Er ei fod yn gysglyd iawn, fedrai o ddim cysgu. Bu'n troi a throsi am amser hir wrth i ddigwyddiadau'r dydd droelli yn ei feddwl. Roedd o'n dal i deimlo'n ddig iawn wrth ei dad, ond roedd y ffaith ei fod wedi'i gloi allan wedi ysgwyd Dyfrig. Dyma'r tro cyntaf i'w dad wneud rhywbeth fel hyn; mae'n rhaid ei fod o'n dechrau colli arno'i hun. Doedd ei fam ddim wedi ei rwystro chwaith. Mae'n rhaid ei bod hithau hefyd yn ei erbyn.

Trodd ei feddwl at Delyth. Roedd yn teimlo'n flin gyda hi hefyd, ond fedrai o ddim ei chasáu fel roedd yn casáu ei dad ar y funud. Roedd hi'n andros o ddel ac roedd ganddi gorff perffaith; gwyddai fod nifer o'r hogiau'n eiddigeddus ohono. Roedd yn cael ei gynhyrfu ganddi, ond pam roedd hi wedi troi i fod mor oeraidd tuag ato? Byddai'n rhaid iddi newid, roedd hynny'n bendant.

Yna dechreuodd feddwl am yr ysgol. Oedd o wir eisiau ymadael? Roedd yn sylweddoli bod yn rhaid iddo sefyll ei arholiadau os oedd o am fynd i goleg celf yng Nghaer neu Lerpwl. Doedd o ddim wedi dweud wrth ei rieni eto, ond dyma'r unig obaith i adael cartref a byw mewn fflat yn y ddinas. Daeth i'r casgliad y byddai'n rhaid iddo ymddiheuro; byddai'n werth gwneud hynny er mwyn cael dianc y flwyddyn nesaf.

Gosododd y cloc larwm rhag ofn i'w rieni feddwl eu bod wedi llwyddo i'w gloi allan. Byddai'n rhaid iddo fynd i'r ysgol yn gynnar a gweld Lisi cyn i bawb arall gyrraedd. Pum munud wedi dau a doedd o ddim wedi cysgu eto.

Deffrodd Dyfrig o'i drwmgwsg yn sydyn pan ganodd y cloc larwm am hanner awr wedi saith. Gorweddodd yno am dipyn yn meddwl am y dasg ofnadwy oedd o'i flaen. Roedd ei wyneb yn dal i frifo lle'r oedd ei dad wedi ei daro. Erbyn hyn doedd o ddim yn siŵr o gwbl a fyddai'n mynd i ymddiheuro wedi'r cyfan.

Yna clywodd lais ei dad yn ffarwelio â'i fam ac yn cychwyn am ei waith. Rhoddodd hyn fwy o hyder iddo godi, ac ymlusgodd i'r ystafell ymolchi. Bu bron iddo fynd i'r ysgol heb ddweud dim wrth ei fam, ond roedd arno eisiau bwyd. Mentrodd i'r gegin a sylwodd ar y syndod ar wyneb ei fam pan welodd Dyfrig yn dod i mewn.

'Be sy, Mam? Oeddet ti'n meddwl bod Dad wedi fy nghau i allan am byth?'

Sylwodd o ddim ar y pryder ar wyneb ei fam wrth iddi droi ato.

'Paid â rhyfygu! Byddi di wedi gwneud dy dad yn sâl cyn bo hir; dw i erioed wedi'i weld o fel roedd o neithiwr. Chysgodd o na fi ddim winc bron drwy'r nos yn poeni amdanat ti.'

'Poeni? Hy! Mae gynnoch chi ffordd ryfedd iawn o ddangos hynny, yn ceisio fy nghloi allan drwy'r nos. Be tasai un o'r dynion drwg 'na roeddet ti'n sôn amdanyn nhw ers talwm wedi cael gafael ynof fi? Cofia, mae'n lwcus eich bod chi wedi cloi'r drysau neu mi fasai ffenest y stafell ymolchi wedi bod ar agor drwy'r nos, a Duw a ŵyr pwy fasai wedi dod i mewn ac ymosod arnon ni!'

'Dw i ddim am ddadlau efo ti y bore 'ma eto, Dyfrig,' dywedodd ei fam yn bendant. 'Pam wyt ti wedi codi mor fore? Paid â dweud dy fod ti wedi callio ac yn mynd i ymddiheuro.'

'Bydd rhaid i mi, mae'n debyg.'

'Diolch i'r nefoedd! Gwranda, Dyfrig, pam na wnei di ddechrau o'r newydd a chydymffurfio er mwyn i ni fod yn deulu hapus unwaith eto? Roedden ni'n arfer bod mor ddedwydd efo'n gilydd. Dydy dy dad ddim yn gofyn llawer, dim ond i ti fod yn fwy cyfrifol ynghylch dy waith ysgol ac ati, a dechrau dod i'r capel eto. Mae angen amser arnon ni i gyd i feddwl am bwrpas bywyd. Mae'r gweinidog yn gofyn amdanat ti'n aml, ac mi fasai pawb yn falch o dy weld di'n dod yn ôl.'

Penderfynodd Dyfrig ymatal rhag ateb ei fam yn ôl. Bwytodd ei frecwast yn ddistaw, ac wedi gorffen ei gwpanaid o goffi, cychwynnodd am y drws.

Wrth gerdded i lawr y stryd, cafodd fraw o sylweddoli nad oedd hi ond deng munud wedi wyth; doedd o ddim wedi gadael mor gynnar ers dyddiau Blwyddyn 7. Roedd o'n dal yn betrusgar ond roedd yn gwybod na fedrai droi yn ôl rŵan.

Melltithiodd Lisi Hanes yr holl ffordd i'r ysgol, ac wedi cyrraedd gwnaeth ei ffordd draw at ei hystafell. Roedd hi yno'n barod ac wrthi'n brysur yn paratoi at y gwersi. Roedd golwg nerfus arni wrth ei weld yn cerdded i mewn.

'Beth ydach chi isio?' gofynnodd yn flin. 'Chlywais i monoch chi'n curo ar y drws.'

'Dw i wedi dod i ymddiheuro,' dywedodd Dyfrig gan edrych ar y llawr.

'Ie . . . Wel?'

Roedd hi'n amlwg nad oedd hynny'n ddigon.

'Mae'n ddrwg gen i am be ddwedais i yn y dosbarth, ond chi wnaeth gamddeall; dim ond tynnu eich coes oeddwn i.'

'Tynnu fy nghoes?'

'Ie.'

'Wel dim fel 'na roedd hi'n ymddangos i mi. Gofyn cwestiynau haerllug am fy mywyd personol! Ychydig o flynyddoedd yn ôl basech chi wedi cael y gansen am lawer llai, ond dyna ni, mae popeth yn newid er gwaeth heddiw.'

Safodd Dyfrig gan ddweud dim. Edrychodd Lisi arno'n anesmwyth.

'Wel, mae'n debyg nad oes gen i ddim dewis ond derbyn eich ymddiheuriad. Dw i ddim yn deall beth sy wedi digwydd i chi, wir; roeddech chi'n arfer bod yn fachgen mor annwyl a gweithgar, ond rŵan . . . Iawn, mi gewch chi fynd.'

Cerddodd Dyfrig o'r ystafell heb yngan gair, ac wrth iddo frysio i lawr y coridor rhegodd yr athrawes dan ei anadl.

4

Cafodd y disgyblion yn nosbarth cofrestru 11C fraw o weld Dyfrig yn eistedd yno'n barod wrth iddynt gyrraedd yr ystafell. Dyfrig yno cyn naw! Doedd dim cyfle tan yr egwyl i ofyn beth oedd wedi gwneud iddo newid ei feddwl, a doedd Dyfrig ddim yn awyddus iawn i siarad am y mater. Doedd Cen ddim yn mynd i adael i Dyfrig anghofio mor sydyn â hynny, a mynnodd ofyn cwestiwn ar ôl cwestiwn.

'Yli, Cen,' meddai Dyfrig yn flin yn y diwedd. 'Ymddiheurais i ddim beth bynnag. Esboniais i mai camgymeriad oedd y cyfan ac mai tynnu ei choes oeddwn i.'

'Ond mi ddwedaist ti wrthi dy fod ti wedi clywed ei bod hi'n un am y dynion, fel Catrin o Ferain pan oedd hi'n iau!'

'Do, ond mae hi'n gwybod mai jôc oedd y cyfan erbyn hyn.'

Edrychodd Cen yn syn. 'A derbyniodd Lisi hynny?'

'Dw i wedi dweud unwaith. Do!'

Roedd golwg amheus iawn ar wyneb Cen, ond yn ffodus i Dyfrig canodd y gloch a doedd dim amser i holi mwy. Am unwaith, Dyfrig oedd un o'r rhai cyntaf i adael y buarth.

Ffiseg oedd y wers nesaf ac roedd Dyfrig mewn trwbl yn syth achos roedd wedi anghofio gwneud ei waith cartref.

'A chyn i ti geisio meddwl am esgus gwahanol y tro 'ma, Dyfrig Lewis, paid â thrafferthu. Dw i wedi clywed pob un gen ti sawl gwaith o'r blaen. Mi gei di gadw cwmni i mi amser cinio a gwneud dy waith y pryd hynny.'

Mostyn Ffiseg oedd yr ail athro i Dyfrig ei felltithio'r bore hwnnw, a chafodd ei gadw i mewn am hanner awr yn ystod amser cinio. Roedd Dyfrig wedi bod yn teimlo'n well ar ôl yr ymddiheuriad; roedd fel petai baich wedi codi oddi arno, ond erbyn hyn roedd wedi cael llond bol.

Roedd arno angen sigarét, ac aeth yn syth i'r man yn y coed lle'r oedd yr ysmygwyr yn ymgasglu. Penderfynodd Dyfrig na fedrai ddioddef aros yn yr ysgol am y prynhawn. Gwelodd Dafydd Harris ymysg yr hogiau. Efallai y byddai o'n dod am sgeif hefyd. Roedd Dyfrig wedi cyfarfod â Dafydd tra oedd y ddau'n gweithio gyda'i gilydd yn siop W. H. Smith dros wyliau'r haf. Roedd o ddwy flynedd yn hŷn na Dyfrig ac ym Mlwyddyn 13. Roedd Dyfrig yn hoffi bod yn ei gwmni'n fawr.

'Wyt ti'n mynd i aros yn y twll yma y prynhawn 'ma?' gofynnodd Dyfrig. 'Wyt ti'n gêm i fynd i lawr i'r dref?'

'Rhyfedd i ti ofyn hynny. Faset ti ddim yn disgwyl i mi aros yma ar brynhawn Gwener, faset ti?' chwarddodd Dafydd.

'Wel, dw i wedi cael llond bol yma. Cadwodd y diawl Mostyn fi i mewn am hanner awr rŵan am beidio â gwneud fy ngwaith cartre.'

Roedd Dafydd yn un garw am ddynwared pobl, a dechreuodd roi pregeth i Dyfrig yn llais Mostyn.

'Gwaith cartref sy'n dod yn gynta, cofia, Dyfrig Lewis! Rhaid i ti gadw dy ddwylo oddi ar y bishyn fach handi sy gen ti tan ar ôl yr arholiadau. Rhaid i ti gael dy flaenoriaethau'n iawn; bydd y genod yn dal i aros amdanat ti ym mis Gorffennaf!'

Chwarddodd Dyfrig, ond doedd Dafydd ddim wedi gorffen eto. Y tro hwn Huws y prifathro oedd dan sylw.

'Dw i'n credu y byddai'n syniad da i ti gymryd y prynhawn i ffwrdd gan dy fod ti wedi gweithio mor galed y bore 'ma, Dyfrig. Mi gei di ganiatâd i fynd efo Dafydd Harris i dŷ Jencs am weddill y dydd. Mi wnaiff fideo da, ychydig o ganiau a geneth ddel neu ddwy y byd o les i ti. Dyna sut bydda i'n ymlacio pan fydd athrawon gwirion yr ysgol 'ma'n mynd ar fy nerfau.'

'O ddifri, ydy'n iawn i mi ddod?' holodd Dyfrig yn eiddgar.

'Wrth gwrs, ond mae'n well i ni fynd i gofrestru'n gynta.'

'Ydy, bydd yr hen Huws 'na'n siŵr o fy ngwylio i fel barcud rŵan!'

Roedd Dafydd wedi llwyddo i godi calon Dyfrig, ac wrth iddo gerdded i'r ystafell gofrestru roedd yn edrych ymlaen at ei brynhawn o adloniant. Wrth i weddill ei ddosbarth wneud eu ffordd i'r labordy

Bioleg, sleifiodd Dyfrig trwy gefn yr adeilad i'r coed lle'r oedd Dafydd yn aros amdano. Wrth i'r ddau gychwyn am dŷ Jencs, trodd Dyfrig yn ôl i wynebu'r ysgol, chwerthin yn uchel, a chodi dau fys arni.

Galwodd y ddau yn y siop win ar y ffordd i brynu caniau o gwrw. Pan gyrhaeddon nhw'r tŷ roedd nifer o fyfyrwyr yno. Roedd Jencs yr un oed â Dafydd ond yn mynd i Goleg Llandrillo.

'Lle'r wyt ti wedi bod, Dafydd? Rydan ni'n barod i ddechrau!'

'Mae'n ddrwg gen i, Jencs, ond roedd rhaid cofrestru'n gynta. Dw i wedi dod â Dyfrig efo mi; gobeithio bod hynny'n iawn. Be sy gen ti i ni heddiw?'

'Y Teletubbies,' atebodd Jencs yn ddifrifol. Yna chwarddodd wrth weld yr olwg syn ar wyneb Dyfrig.

'Na, o ddifrif, mae gen i wledd i'r llygaid heddiw. Mi ges i hon dan y cownter. Fyddwn ni ddim yn deall yr iaith, ond mae'r lluniau'n ardderchog!'

Roedd Dyfrig wedi gweld ffilmiau coch o'r blaen, ond dim byd fel hyn! Am awr bu'n gwylio campau'r cyrff noeth gyda'r lleill ac yn yfed o'r caniau.

'Fwynheaist ti honna, 'ta?' gofynnodd llais merch y tu ôl iddo ar ôl i'r ffilm orffen.

Trodd a gweld mai geneth gwallt melyn oedd yn siarad. Roedd o wedi sylwi arni wrth ddod i mewn. Doedd o ddim yn gwybod beth i'w ddweud am funud; doedd geneth ddieithr erioed wedi gofyn cwestiwn fel hyn iddo o'r blaen.

'. . . y . . . do.'

'Dwyt ti ddim yn swnio'n siŵr iawn,' chwarddodd yr eneth. 'Does bosib dy fod ti'n un o ddilynwyr Mary Whitehouse!'

'Nac ydw, siŵr!' atebodd Dyfrig braidd yn flin. 'Roedd hi'n wych. Dw i wedi gweld llawer ohonyn nhw o'r blaen.'

'O, do? Beth ydy dy enw di, gyda llaw?'

'Dyfrig.'

'Llinos ydw i.'

'Hei, Dyf, rhaid i ni fynd,' dywedodd Dafydd yn sydyn gan dorri ar eu traws.

'Wyt ti'n mynd i'r disgo yn Razzles heno, Dyf?' gofynnodd Llinos yn sydyn.

Dyf! Dim ond ei ffrindiau agos oedd yn ei alw'n Dyf.

'Wel . . . '

'Duwcs, tyrd ymlaen, Dyf, mae criw yn mynd heno.'

'Iawn, mi wela i ti yno, 'ta,' meddai Llinos wrth Dyfrig, a chyn iddo gael amser i ddweud mwy roedd yn mynd allan o'r tŷ gyda Dafydd ac yn prysuro yn ôl i'r ysgol i ddal y bws, rhag ofn i Huws gymryd enwau'r plant oedd yn teithio arno.

'Rwyt ti'n un cyflym, myn uffarn i! Mi fyddi di'n iawn yn fanna, Dyf. Mi ddysgith Llinos dric neu ddau i ti!'

Soniodd Dyfrig ddim wrth Dafydd mai Llinos

oedd wedi siarad yn gyntaf.

Pan gyrhaeddon nhw'r bws gwelodd Dyfrig fod Delyth yn eistedd gyda Meic, ond symudodd Meic yn syth i roi lle iddo. Doedd dim llawer o hwyl ar Delyth.

'A lle'r wyt ti wedi bod?' holodd yn bigog. 'Roeddwn i'n meddwl na fasai'r dechrau da y bore 'ma yn para'n hir! Be am dy waith Bioleg?'

'Mi gopïa i'r gwaith. Rho fenthyg dy lyfr i mi heno.'

'Na, chei di mono fo. Dw i wedi cael digon ar hyn. 'Sgen i ddim mynadd efo ti.'

'Bydd fel 'na 'ta, mi fenthycia i lyfr Meic,' atebodd Dyfrig yn ddi-hid, ac yna, gan geisio newid y pwnc, gofynnodd, 'Ble 'dan ni'n mynd nos Sadwrn, 'ta?'

'Efallai na fydda i'n mynd allan.'

'Be sy rŵan?' holodd Dyfrig.

'Dim byd!'

'Wel, mi fydda i yn y Plough os wyt ti isio fy ngweld i,' atebodd yn swta. Fedrai o ddim deall Delyth y dyddiau yma.

Cyn bo hir roedden nhw wedi cyrraedd safle bysiau Delyth, a dim ond rhyw 'Hwyl' gwan a gafodd Dyfrig ganddi wrth iddi ddisgyn o'r bws.

Wrth gyrraedd ei gartref yntau, dechreuodd Dyfrig boeni am y math o groeso y byddai'n ei gael, ond yn ffodus doedd neb i mewn. Aeth i'w lofft a throi ei beiriant casét ymlaen yn uchel, ac wrth orwedd ar ei wely roedd yn methu cael Llinos o'i feddwl.

Chyrhaeddodd ei fam ddim adref tan toc wedi pump, ond alwodd hi ddim arno fel arfer. Clywodd ei dad yn cyrraedd tua chwarter i chwech, ond eto roedd tawelwch i lawr grisiau. Mewn rhyw ddeng munud galwodd ei fam arno i ddweud bod swper yn barod.

Roedd Dyfrig yn teimlo braidd yn ofnus wrth fynd i mewn i'r gegin. 'Hylô!' dywedodd, ond yr unig ateb gafodd gan ei fam oedd: 'Mae dy fwyd ar y bwrdd.'

Eisteddodd ei rieni gan fwyta'n dawel. Cyn bo hir penderfynodd Dyfrig y dylai ymddiheuro i'w dad neu byddai'r tawelwch yn ei lethu.

'Yli, Dad, mae'n ddrwg gen i am neithiwr. Dw i wedi ymddiheuro i Lisi Hanes y bore 'ma ac mae popeth yn iawn rŵan.'

Chwarddodd ei dad yn wawdlyd. 'O, ydy wir?'

'Dw i'n gwybod fy mod i wedi esgeuluso fy ngwaith a dw i'n addo y bydda i'n gwneud mwy o ymdrech o hyn ymlaen. Ond rhaid i mi gael amser rhydd hefyd.'

'Does neb isio dy rwystro rhag cael amser i ymlacio,' dywedodd ei fam yn sydyn cyn i'w gŵr orymateb. 'Ond mae'n rhaid i dy waith ddod yn gynta mewn blwyddyn mor bwysig â hon, on'd oes, Llew?'

'Oes, siŵr iawn.' Roedd ymyrraeth ei wraig wedi tynnu'r gwynt o hwyliau Llew Lewis braidd.

''Dan ni'n gytûn, 'ta?' meddai Dyfrig. 'Dw i'n addo rhoi mwy o amser i fy ngwaith ysgol, a byddwch chi'n fodlon i mi gael tipyn o ryddid hefyd.'

Ochneidiodd ei dad yn uchel ac ysgwyd ei ben, ond ddywedodd o ddim byd.

'Iawn, dw i'n mynd i wneud tipyn o waith rŵan cyn mynd allan.'

'Mynd allan?' gofynnodd ei dad.

'Ie . . . y . . . i'r Clwb Ieuenctid.'

'Wel gofala dy fod ti'n ôl cyn hanner awr wedi un ar ddeg heno! Ac yn ystod yr wythnos mae hanner awr wedi deg yn ddigon hwyr.'

Aeth Dyfrig i'w lofft a thynnu ei lyfrau ysgol allan rhag ofn i'w rieni ddod i mewn, ond ar Llinos roedd ei feddwl rŵan. Roedd yn teimlo'n gynhyrfus iawn, yn enwedig ar ôl beth ddywedodd Dafydd amdani. Penderfynodd wisgo'i ddillad gorau; roedd yn rhaid gwneud argraff dda arni. Roedd wedi anghofio'n llwyr am Delyth bellach.

5

Roedd Dyfrig wedi trefnu cyfarfod â Dafydd a'i gyfaill Ted yn y Vic cyn mynd i'r clwb nos. Pan welodd y ddau Dyfrig yn dod i mewn yn grand i gyd, chwibanon nhw'n uchel nes i bawb yn y dafarn droi i edrych.

'Esgob, rwyt ti am wneud argraff ar rywun heno!' chwarddodd Ted.

'Roeddwn i'n meddwl bod rhaid gwisgo dillad crand i gael mynediad i'r clwb,' atebodd Dyfrig, wedi ei ddigio gan agwedd bryfoclyd y ddau.

'Wel 'dyn nhw ddim yn caniatáu jîns, ond does dim rhaid mynd dros ben llestri!' dywedodd Dafydd. 'Duw, rwyt ti'n drewi o *aftershave*; gwylia dy hun yn y clwb neu mi fydd un o'r dynion od 'na wedi cael gafael ynot ti!'

Roedd Dyfrig wedi cael digon ar hyn. Trodd ei gefn ar y ddau a chamu at y bar, ond daeth Dafydd ar ei ôl.

'Yli, paid â cholli dy limpyn; dim ond tynnu coes ydan ni.'

Wedi cael ei beint, aeth Dyfrig i eistedd gyda'r ddau, yn teimlo braidd yn ffôl bellach ei fod wedi gwylltio.

'Be sy wedi digwydd i'r Delyth smart 'na gen ti?' holodd Ted.

' . . . y . . . dim . . . Mae hi'n mynd allan heno.'

'Rwyt ti'n dipyn o foi efo'r genod, felly; dwy ar y

gweill ar unwaith. Rhaid i ti ddweud dy gyfrinach wrtha i. Cofia roi gwybod i mi os wyt ti'n rhoi'r gorau i Delyth; mi faswn i wrth fy modd yn cynhesu honna ar noson oer!'

Penderfynodd Dyfrig ymatal rhag dweud dim, ond yn sicr doedd o ddim yn meddwl llawer o'r pen bach Ted yma.

Pum munud arall ac roedden nhw ar y ffordd i ddal y bws. Pan gyrhaeddon nhw Razzles, roedd y clwb dan ei sang. Gwthiodd y tri trwy'r dorf at y bar. Roedd prisiau'r diodydd yn llawer drutach yma, ac roedd Dyfrig yn falch ei fod wedi dod â mwy o arian nag arfer gyda fo.

Wedi cael eu diodydd, aeth y tri i chwilio am weddill y criw. Roedden nhw ym mhen pellaf y clwb, ac roedd Llinos yn eu canol. Collodd Dyfrig ei anadl am funud pan welodd hi; roedd hi'n edrych yn syfrdanol mewn ffrog goch dynn a'i gwallt melyn yn hongian yn rhydd dros ei hysgwyddau. Ond ddaeth hi ddim ato o gwbl, dim ond dal i siarad â'r bobl eraill.

Safodd Dyfrig ar ei ben ei hun yn sipian ei ddiod gan ddechrau difaru ei fod wedi dod. Doedd o ddim yn nabod y criw hŷn bron o gwbl . . . ond yna'n sydyn roedd Llinos wrth ei ochr.

'Dwyt ti ddim yn mynd i ofyn i mi ddawnsio, 'ta?' gofynnodd.

' . . . y . . . Ydw, wrth gwrs,' ac aeth y ddau i ganol y bobl ifainc ar y llawr. Wrth symud i'r gerddoriaeth fedrai Dyfrig ddim tynnu ei lygaid oddi ar Llinos, ac roedd yn siŵr mai dyma'r eneth dlysaf roedd o erioed wedi dawnsio gyda hi.

'Esgob, mae'n boeth yma!' dywedodd Llinos ar ôl tair dawns. 'Be am ddiod arall?'

'Iawn. Be gymri di?'

'Fodca ac oren mawr, os gweli di'n dda.'

Bron iawn i Dyfrig gael haint pan glywodd bris eu diodydd y tro 'ma, ac roedd yn gobeithio y byddai Llinos yn yfed yn araf. Ond pan aeth i chwilio amdani eto, doedd dim sôn amdani'n unman. Cerddodd o gwmpas y clwb i gyd a'r diodydd yn ei law ond doedd dim golwg ohoni. Aeth i sefyll wrth y wal, ddim yn siŵr beth i'w wneud.

Ymhen ychydig daeth Dafydd heibio. 'Be wyt ti'n wneud yma ar dy ben dy hun?' gwaeddodd dros y gerddoriaeth.

Pan esboniodd beth oedd wedi digwydd, chwarddodd Dafydd. 'Mi ddwedais i wrthot ti am fod yn ofalus efo honna; mi fydd rhywun arall wedi ei bachu hi rŵan!'

Roedd Dyfrig yn wyllt gyda Dafydd am yr ail waith y noson honno, ac roedd ar fin yfed y fodca ei hun pan ymddangosodd Llinos eto.

'Mae'n ddrwg gen i dy gadw di, ond roedd andros o lot yn aros i fynd i'r lle chwech. Mi welais i ffrind yna a dw i wedi cael gwahoddiad i ni'n dau i barti ar ôl y clwb,' dywedodd yn llawen.

Cofiodd Dyfrig ei fod i gyrraedd adref erbyn

hanner awr wedi un ar ddeg. Beth fedrai o ei wneud rŵan? Dim ond ychydig o oriau yn ôl roedd wedi addo i'w dad y byddai pethau'n wahanol o hyn ymlaen. Edrychodd ar Llinos wrth ei ochr, ac roedd yn gwybod pa ddewis roedd am ei wneud; fedrai o ddim colli'r cyfle i fynd allan gyda phisyn fel hon!

Erbyn hanner nos roedd Dyfrig yn eistedd mewn car gyda Llinos a thri arall ar y ffordd i'r parti. Roedd yn amlwg bod y gyrrwr, Seimon, wedi cael gormod i'w yfed ond roedd y lleill mewn hwyliau rhy dda i boeni am hynny. Ymlaen â nhw nes cyrraedd tŷ ym Mae Colwyn.

Ar ôl mynd i'r tŷ rhuthrodd dyn at Llinos a'i chofleidio. 'Wel, gest ti o?'

'Do, wrth gwrs, Derec,' atebodd hi, ac aeth i'w bag llaw a thynnu pecyn bach allan a'i roi iddo.

'Mae o wedi cyrraedd!' gwaeddodd hwnnw, a dechreuodd pawb weiddi a churo dwylo; pawb ond Dyfrig oedd yn sefyll yn stond yn gwylio'r cyfan ac yn methu deall beth oedd yn digwydd. A'r Derec yna'n cofleidio Llinos fel 'na. Pwy oedd o, tybed?

Yn sydyn, teimlodd law Llinos ar ei fraich. 'Be sy? Rwyt ti'n ddistaw iawn.'

'Be sy'n mynd ymlaen? Be oedd yn y pecyn 'na?'

'Dyna pam roeddwn i mor hir yn y tŷ bach, y lembo. Roeddwn i'n prynu.'

'Prynu be?'

Edrychodd Llinos yn syn arno a chwerthin. 'Fferins, wrth gwrs!'

'Fferins?'

'O, tyrd 'mlaen, Dyf! Wyt ti ddim yn gwybod go iawn?'

'Nac ydw.'

'Rargian, rwyt ti'n naïf! Smac, cariad, smac! Rwyt ti'n mynd i gael noson orau dy fywyd heno!'

6

Roedd Dyfrig wedi dychryn am ei fywyd ar ôl clywed bod cyffuriau yn y tŷ a bod Llinos o bawb wedi eu prynu'n gynharach yn y clwb nos. Roedd o a'i ffrindiau wedi bod yn bendant yn erbyn cyffuriau ac arogli glud erioed. Roedd o wedi bod yn ysmygu ac yn yfed ambell gan o gwrw yn y parc ers Blwyddyn 8, ond dim ond ers rhyw chwe mis roedd o wedi bod yn mynychu tafarnau'n rheolaidd. Roedd ysmygu ac yfed yn iawn; roedd pawb yn gwneud hynny – ond cyffuriau, roedd hynny'n fater arall.

Erbyn hyn roedd Llinos wedi diflannu eto. Roedd yn teimlo'n annifyr ynghanol y criw o bobl ddieithr. Doedd o ddim yn berson swil ond roedd yn anodd torri i mewn i sgwrs y bobl hŷn yma. Yn y diwedd daeth dyn ato a dechrau siarad â fo. Tom oedd ei enw ac roedd yn gweithio mewn swyddfa ym Mangor. Roedd Dyfrig yn falch o gael rhywun i siarad â fo, ond roedd yn ofalus iawn wrth ateb ei gwestiynau. Dywedodd wrtho ei fod ar fin gadael yr ysgol ac yn gobeithio mynd i'r coleg. Pan glywodd Tom fod Dyfrig wedi dod i'r parti gyda Llinos, roedd yn amlwg yn eiddigeddus a gwnaeth hyn iddo deimlo'n well.

Yna gadawyd Dyfrig ar ei ben ei hun eto wrth i Tom gydio mewn geneth a mynd â hi i ddawnsio. Yn ffodus daeth Llinos yn ôl cyn bo hir.

'Dwyt ti ddim yn dawnsio?' gofynnodd.

'Lle wyt ti wedi bod?' holodd Dyfrig braidd yn flin.

'Yn helpu Derec. Paid â phoeni, doeddwn i ddim wedi dy adael di. Tyrd i ddawnsio!'

Wrth iddynt ddawnsio, fedrai Dyfrig ddim cadw ei lygaid oddi ar ei chorff lluniaidd a'i gwallt melyn deniadol. Roedd y record nesaf yn un araf, a bron heb yn wybod iddo roedd hi yn ei freichiau. Roedd yn teimlo'n gynhyrfus iawn wrth iddynt symud i'r gerddoriaeth. Roedd bron â marw eisiau ei chusanu, ond am ryw reswm roedd yn nerfus. Mae'n siŵr bod Llinos yn gusanwraig brofiadol ac yntau heb gael llawer o ymarfer yn ddiweddar oherwydd Delyth.

Yna roedd y record drosodd ac roedd ei gyfle wedi mynd. Penderfynodd fod yn rhaid iddo yfed mwy er mwyn magu mwy o blwc y tro nesaf, ond erbyn hyn roedd Llinos yn ei arwain i mewn i'r gegin, a dychrynodd drwyddo pan ddangosodd hi'r smac iddo.

'Dwyt ti ddim yn mynd i gymryd y stwff yna! Dwyt ti ddim wedi gweld ar y teledu be fedrith cyffuriau ei wneud i ti?'

'Paid â dweud dy fod ti wedi cael dy dwyllo gan bropaganda'r teledu. Wrth gwrs mae'n beryglus os wyt ti'n cymryd smac drwy'r amser, ond dim os wyt ti'n ei gymryd yn achlysurol.'

'Dyna beth mae'r jyncis yn ddweud bob amser. Paid â'u coelio nhw!' mynnodd Dyfrig.

'Yli, dw i wedi bod yn cymryd smac ers dipyn

rŵan. Ydw i'n edrych fel jynci? A beth am y bobl eraill yn y parti? Ydyn nhw'n edrych fel jyncis?'

Doedd Llinos ddim byd tebyg i jynci, roedd hynny'n siŵr, ac roedd yn rhaid iddo gyfaddef bod pawb arall yn drwsiadus iawn.

'Wrth gwrs dydyn nhw ddim,' aeth Llinos yn ei blaen. 'Mae llawer o bobl yn defnyddio smac o bryd i'w gilydd a dydyn nhw ddim yn troi'n jyncis. Dim ond y problemau sy'n cael sylw gan y cyfryngau, cofia.'

Doedd gan Dyfrig ddim ateb i hyn, ond doedd Llinos ddim wedi gorffen ei phregeth eto.

'Rwyt ti'n yfed ac yn ysmygu. Faint o bobl sy'n marw o glefyd y galon a sglerosis yr iau bob blwyddyn? Miloedd ar filoedd; llawer mwy nag oherwydd effaith cyffuriau. Rwyt ti'n rhagrithiol os wyt ti'n fy meirniadu i!'

Ar hynny dyma Derec yn dod i'r gegin. Ar ôl clywed bod Dyfrig heb drio smac o'r blaen rhoddodd ei fraich o gwmpas ei ysgwyddau. 'Does dim byd i'w ofni, mêt. Mae'n berffaith ddiogel os wyt ti'n ofalus. Mae'r wefr gei di'n anhygoel ac mi fyddi di a Llinos yn cael amser ffantastig wedyn!'

Roedd Dyfrig yn teimlo fel taro hwn am roi ei fraich o'i gwmpas, ond yna cusanodd Llinos o. 'Tyrd, i 'mhlesio i.'

Symudodd Derec at y bwrdd a dechrau twymo papur ffoil. Roedd calon Dyfrig yn curo'n gyflym. Roedd yn gwybod na ddylai brofi'r cyffur ond roedd cusan Llinos wedi ei wneud yn ddryslyd iawn.

Yna cymerodd Llinos rolyn cardbord, plygu dros y smac ac anadlu i mewn yn galed. Wedyn estynnodd y rholyn i Dyfrig. Oedodd am eiliad, ond cymerodd Derec y rholyn gan Llinos a'i roi yn llaw Dyfrig. Rhoddodd ei fraich ar ei ysgwydd eto.

'Tyrd, mêt. I blesio Llinos a fi.'

Edrychodd Dyfrig ar Llinos ac yna plygodd drosodd ac anadlu i mewn. Doedd o ddim yn teimlo'n wahanol o gwbl.

'Rhaid i ti anadlu dipyn mwy cyn teimlo unrhyw beth,' dywedodd Llinos yn garedig, a chymerodd Dyfrig fwy o'r cyffur.

Cyn bo hir daeth rhyw deimlad melys drosto. Gafaelodd Llinos yn ei law a'i arwain i mewn i'r lolfa. Aethon nhw i eistedd ar glustog ar y llawr yn y gornel. Edrychodd ar yr hogan ddel wrth ei ochr a theimlodd ryw hyder newydd; roedd yn rhaid iddo'i chusanu. Tynnodd hi ato. Ymatebodd hi'n syth, ac mor gyflym â mellten roedd ei dwylo dan ei grys ac yn chwarae ar ei feingefn, ac roedd ei thafod yn ei geg. Doedd Dyfrig erioed wedi cusanu fel hyn o'r blaen.

Yna roedd Llinos ar ei thraed. 'Tyrd!' gorchmynnodd, a gafael yn ei law. Cododd Dyfrig a'i ddilyn trwy'r drws ac i fyny'r grisiau. Roedd o'n teimlo fel petai mewn breuddwyd. Wedi cyrraedd y llofftydd, agorodd Llinos ddrws un ystafell a'i arwain i mewn.

Roedd yr ystafell yn dywyll, ond aeth Llinos at y bwrdd wrth y gwely a goleuo'r lamp. Yna roedd hi yn ei freichiau unwaith eto ac yn ei gusanu. Tynnodd ei hun oddi wrtho, a daliodd Dyfrig ei anadl wrth i Llinos dynnu ei ffrog dros ei phen ac yna tynnu ei dillad isaf. Daeth yn ôl ato a dechrau tynnu ei ddillad yntau. Syrthiodd y ddau ar y gwely a dechrau caru'n wyllt.

7

Deffrodd Dyfrig yn sydyn. Roedd ganddo gur pen ofnadwy; rhaid iddo fynd i chwilio am asbrins yn yr ystafell ymolchi. Cododd yn sigledig o'r gwely, ac yna cafodd fraw wrth weld rhywun arall yn cysgu wrth ei ochr. Llinos! Daeth digwyddiadau'r noson cynt yn ôl iddo. Edrychodd ar ei oriawr, a chafodd yr ail fraw o fewn munud. Roedd hi'n hanner awr wedi dau y bore!

Neidiodd ar ei draed. Chwiliodd am ei ddillad ar y llawr a gwisgo'n gyflym. Roedd yn rhaid iddo fynd adref mor sydyn â phosib! Ond roedd yr holl stŵr wedi deffro Llinos.

'Be wyt ti'n wneud?' gofynnodd yn gysglyd.

'Rhaid i mi fynd adref i newid. Dw i'n gweithio y bore 'ma.'

'Faint o'r gloch ydy hi felly?'

' . . . y . . . Tua chwech.' Doedd arno ddim eisiau iddi wybod pam roedd yn rhaid iddo fynd mewn gwirionedd.

'Ble 'dan ni'n mynd heno, 'ta?' gofynnodd Llinos.

Doedd Dyfrig ddim yn gwybod beth i'w ddweud. Roedd ffordd uniongyrchol Llinos o ofyn cwestiynau yn ei synnu.

'Be sy?' holodd hi wedyn. 'Wnest ti ddim mwynhau neithiwr?'

' . . . y . . . Do.'

'Dwyt ti ddim yn swnio'n siŵr iawn.'

'Dw i yn siŵr, wir, ond . . . ' Fedrai o ddim meddwl yn glir iawn. 'Y Vic am wyth?'

'Iawn . . . ' a throdd Llinos drosodd a mynd i gysgu eto.

Wrth adael y tŷ sylweddolodd Dyfrig nad oedd erioed wedi bod allan mor hwyr â hyn o'r blaen. Roedd pobman mor ddistaw. Byddai'n rhaid iddo gerdded adref, achos doedd ganddo ddim digon o arian ar gyfer tacsi, a beth bynnag, mae'n siŵr fod y gyrwyr yn eu gwelyau bellach.

Wrth gerdded ar hyd y ffordd dechreuodd boeni'n wirioneddol am ei rieni. Beth fyddai o'n ei wneud y tro hwn petai ei dad wedi ei gloi allan? Yn sicr byddai pob ffenest ar gau heno! Roedd yn poeni cymaint, yn ddiarwybod iddo roedd car wedi aros wrth ei ymyl, a neidiodd mewn braw pan glywodd lais yn gweiddi arno.

'Wyt ti isio pàs?'

Roedd ar Dyfrig ofn. Roedd wedi clywed pob math o storïau erchyll am bobl oedd wedi derbyn pàs gan ddieithriaid, ond byddai'n rhaid iddo'i mentro hi; roedd yn waith dros awr o gerdded fel arall. Ond roedd y dyn yn ddigon cyfeillgar. Postmon oedd o, ar ei ffordd i'w waith ym Mangor, ac roedd yn mynd heibio'n agos iawn i dŷ Dyfrig. Cafodd ei geryddu gan y dyn am fod allan mor hwyr ar ei ben ei hun.

Wedi diolch i'r postmon, prysurodd Dyfrig i fyny'r stryd. Edrychodd ar ei oriawr. Rargian fawr! Ugain munud wedi tri! Ceisiodd beidio â meddwl beth fyddai'n ei wneud petai'r drysau i gyd ar glo.

Roedd ei galon yn curo'n gyflym wrth droi'r goriad yn y clo, ond er rhyddhad iddo agorodd y drws. Dringodd y grisiau ar flaenau ei draed ac aeth i mewn i'w ystafell wely. Gwrandawodd yn astud am unrhyw sŵn o ystafell ei rieni, ond roedd y tŷ mor dawel â'r bedd. Doedd o erioed wedi teimlo cymaint o ryddhad!

Tynnodd ei ddillad, eu taflu ar y llawr a dringo i'w wely. Roedd mor flinedig, syrthiodd i gysgu'n syth.

'Dyfrig! Dyfrig! Deffra!' Llais ei fam oedd o. 'Dw i wedi dy alw di ddwywaith yn barod. Rwyt ti'n mynd i fod yn hwyr!'

Roedd Dyfrig yn teimlo'n ofnadwy ac atebodd o mo'i fam.

'Mi gei di'r sac os wyt ti'n hwyr!' aeth hi yn ei blaen.

Y sac? Yna cofiodd mai dydd Sadwrn oedd hi a bod yn rhaid iddo fod yn siop W. H. Smith erbyn chwarter i naw. Edrychodd ar y cloc. Deng munud wedi wyth! Neidiodd o'r gwely; doedd o ddim eisiau colli ei waith achos roedd yn rhaid iddo gael pres i fynd allan. Roedd yn eitha sigledig ar ei draed, ond llwyddodd i gyrraedd yr ystafell ymolchi a thaflu dŵr dros ei wyneb, gwisgo'n frysiog a rhedeg o'r tŷ.

'Mi wela i ti heno, Mam!'

Trwy lwc doedd o ond deng munud yn hwyr yn cyrraedd y siop, ac er i'r rheolwr edrych yn ddig, derbyniodd esboniad Dyfrig, achos dyma'r tro cyntaf iddo fod yn hwyr.

Roedd Dyfrig yn teimlo fel petai mewn breuddwyd, ond fel arfer roedd yn fore prysur iawn. Erbyn hanner dydd roedd y diffyg cwsg yn dechrau dweud arno. Yna clywodd lais cyfarwydd yn gofyn, 'A lle'r oeddet ti neithiwr?' Edrychodd i fyny a gweld Catrin yn sefyll yno.

'Roedd pawb yn holi amdanat ti,' aeth yn ei blaen.

Roedd yn rhaid iddo feddwl yn gyflym rŵan.

' . . . y . . . Mae Nain yn sâl ac yn anffodus roedd rhaid i mi fynd i'w gweld hi efo fy rhieni.'

'O, mae'n ddrwg gen i glywed am dy nain,' cydymdeimlodd. 'Mi ddweda i wrth Delyth y gweli di hi yn y Plough heno, ie?'

' . . . y . . . Na, fydda i ddim yn mynd allan heno, dw i ddim yn meddwl . . . Dw i isio cynilo fy mhres i brynu cryno-ddisg newydd.'

'Wel am ddiflas!' atebodd Catrin yn syn. 'Gofala di neu mi fyddi di wedi colli Delyth cyn bo hir. Dw i ddim yn gwybod beth sy'n bod ar y ddau ohonoch chi y dyddiau yma, wir!'

Gwelodd Dyfrig y rheolwr yn edrych arno ac roedd yn falch o gael dweud wrth Catrin bod yn rhaid iddi fynd. Doedden nhw ddim i fod i siarad â ffrindiau yn ystod oriau gwaith.

Roedd Catrin wedi gwneud iddo feddwl am Delyth unwaith eto. Roedd yn hoff iawn ohoni, ond doedd hi ddim yn ei gynhyrfu cymaint â Llinos, roedd hynny'n sicr. Oedd, roedd o wedi sôn wrth Delyth y byddai yn y Plough heno, ond roedd yn gwybod mai i'r Vic i weld Llinos y byddai'n mynd.

Er hyn, doedd o ddim eisiau colli Delyth chwaith. Beth oedd o'i le mewn canlyn dwy ferch yr un pryd? Ie, dim ond iddo fod yn ofalus, dylai hynny fod yn bosib, achos roedd y ddwy mewn dau griw gwahanol o ffrindiau. Yn sicr byddai'r hogiau'n ei edmygu petai ganddo ddwy ferch ddeniadol yn gariadon!

8

Er bod Dyfrig yn hoffi ei waith yn siop W. H. Smith, doedd o erioed wedi bod mor falch o weld hanner awr wedi pump. Wrth nesáu at ei gartref, fodd bynnag, roedd yn dechrau meddwl y byddai'n well petai'r siop ar agor drwy'r nos! Doedd ganddo'r un syniad pa fath o dderbyniad y byddai'n ei gael, ac roedd yn methu deall pam nad oedd ei dad wedi cloi'r drws fel y noson cynt.

Er syndod iddo doedd dim geiriau cas na dweud y drefn, dim ond gofyn sut hwyl roedd o wedi ei gael yn ei waith. Fedrai Dyfrig ddim cofio pa bryd roedd y teulu wedi eistedd i fwyta fel hyn heb unrhyw densiwn na'i dad yn lladd arno. Eto i gyd, roedd yn ofni mai rhyw dacteg newydd oedd hyn, a bod y storm i ddod. Ond ddaeth y storm ddim; dim ond mân siarad. Doedd dim sôn am neithiwr chwaith nes i'w fam ofyn a oedd yn mynd allan heno.

'Ydw, i ddisgo yn y dref,' atebodd yn frysiog.

'Wel, cofia fod yn ôl erbyn hanner awr wedi un ar ddeg,' siarsiodd ei dad. 'Gyda llaw, pryd dest ti i mewn neithiwr? Chlywais i monot ti; mi es i'r gwely'n gynnar ac mae'n rhaid fy mod i wedi mynd i gysgu'n syth.'

'Tua hanner awr wedi un ar ddeg,' mentrodd Dyfrig, gan weddïo'r un pryd bod ei dad yn dweud y gwir a bod ei fam wedi cysgu'n gynnar hefyd. Ond aeth ei fam yn ei blaen i glirio'r platiau.

Roedd Dyfrig yn teimlo cymaint o ryddhad, cododd a helpu ei fam i olchi'r llestri. Edrychodd ei fam yn syn; doedd hi ddim yn cofio pa bryd yr helpodd Dyfrig hi o'i wirfodd o'r blaen.

Gwenodd ei fam arno. 'Dw i'n falch dy fod ti wedi callio, Dyfrig. Mae hi mor braf heb gweryla bob munud.'

Roedd Dyfrig ar ben ei ddigon wrth fynd i fyny i'r llofft. Roedd wedi ofni y byddai ei dad yn ei rwystro rhag mynd allan. Dechreuodd deimlo'n gynhyrfus iawn wrth feddwl am Llinos eto. Penderfynodd olchi ei wallt cyn mynd, a gwisgo'n fwy hamddenol y tro hwn. Doedd o yn bendant ddim eisiau mynd i Razzles eto, a phetai'n gwisgo jîns, fydden nhw ddim yn ei adael i mewn!

Cydiodd mewn potel o ddiaroglydd Lynx a'i chwistrellu drosto'i hun. Dewisodd ei bâr newydd o jîns Pepe a chrys chwys Nike o'r cwpwrdd dillad a gwisgo'i *trainers* gorau am ei draed. Edrychodd arno'i hun yn y drych a phenderfynu y byddai Llinos yn sicr yn falch ohono.

Roedd tua deng munud yn gynnar yn cyrraedd y Vic, ac aeth i godi peint i aros am Llinos. Erbyn hanner awr wedi wyth doedd dim sôn amdani, fodd bynnag, a suddodd ei galon. Mae'n rhaid bod ganddi gariad arall, y Derec yna efallai; yn sicr fyddai dim prinder hogiau ar ei hôl hi. Doedd dim amdani felly ond mynd i'r Plough; byddai'n rhaid iddo fodloni ar Delyth wedi'r cyfan. Drachtiodd weddill y cwrw yn ei wydr a chodi i adael, ond yr eiliad honno pwy ddaeth trwy ddrws y dafarn ond Llinos!

'Mae'n ddrwg gen i,' meddai, 'ond roedd yn rhaid i mi fynd i weld rhywun ar y ffordd yma.'

'O ie?' atebodd braidd yn flin.

'Ie, rwyt ti'n gwybod, fel neithiwr,' a rhoddodd gusan ysgafn iddo. 'Paid â dweud dy fod ti'n mynd i roi pregeth arall i mi,' ychwanegodd wrth weld yr olwg ar wyneb Dyfrig. 'Mi wnest ti fwynhau neithiwr, yn do?'

Edrychodd Dyfrig arni; roedd hi'n berffaith!

'Wel, roedd yn iawn . . . ' cellweiriodd.

'Y diawl bach!' chwarddodd Llinos gan gydio ynddo a rhoi cusan arall iddo; un iawn y tro 'ma. Ymatebodd Dyfrig yn eiddgar er eu bod yng nghanol y dafarn. Yn y cefndir medrai glywed sŵn chwibanu a gweiddi'r bobl eraill yn yr ystafell, ond doedd dim ots ganddo. Roedd yn teimlo rhyw falchder ei fod gyda merch mor dlws.

Yn sydyn roedd rhywun yn gafael yn ei ysgwydd ac yn gweiddi. 'Dyna ddigon o hynna! Allan â chi! Rydych chi'n achosi reiat yma bron!'

Cyn i Dyfrig fedru protestio, ac i sŵn curo dwylo mawr a gweiddi'r criw o hogiau oedd yn y bar, cafodd ei lusgo gerfydd ei fraich gan y tafarnwr at y drws ac i'r stryd. Ceisiodd droi yn ôl, ond cafodd ei rwystro gan Llinos.

'Na, paid â mynd yn ôl i mewn, ei golled o ydy hi. Beth bynnag, dw i isio cusan arall gen ti!'

Cusanodd y ddau'n hir eto, ac yna gofynnodd Dyfrig, 'Beth 'dan ni'n mynd i'w wneud rŵan, 'ta?'

'Rhaid i mi fynd i Fae Colwyn i gyfarfod â Derec i roi'r dôp iddo. Gawn ni weld beth mae'r lleill yn ei wneud.'

Doedd Dyfrig ddim yn awyddus i gyfarfod â chriw'r parti eto, ond doedd dim pwrpas dadlau achos roedd y dôp ganddi. Cerddodd y ddau i lawr y stryd i'r safle bysiau gan obeithio na fyddai'n rhaid iddynt ddisgwyl am amser hir.

* * *

Yn y cyfamser roedd Catrin wedi galw yn nhŷ Delyth gan ddweud wrthi na fyddai Dyfrig yn debygol o fod yn y Plough y noson honno. Doedd Delyth ddim eisiau mynd yno beth bynnag mewn gwirionedd – doedd hi ddim am gael ffrae arall gyda Dyfrig – ond roedd Catrin ei hun yn awyddus i fynd yno ac yn y diwedd fe gafodd berswad ar Delyth i fynd hefyd. Wrth i'r ddwy gerdded trwy'r dref byddai Catrin yn taeru mai Dyfrig oedd dros y ffordd yn cerdded law yn llaw â merch. Wrth iddynt ddod yn nes, doedd dim amheuaeth o gwbl. Ceisiodd dynnu sylw Delyth at yr esgidiau yn siop Stead and Simpson gerllaw, ond roedd hi'n rhy hwyr.

Trodd Delyth i mewn i ddrws y siop. Roedd y dagrau'n powlio i lawr ei gruddiau. Doedd gan Catrin ddim syniad beth i'w ddweud, yna mewn ymgais i godi calon ei ffrind dywedodd, 'Mae'n siŵr bod esboniad syml i'r peth, wsti, ond os nad oes, i'r diawl ag o! Mae digon o bysgod yn y môr, cofia. Tyrd!'

Gafaelodd ym mraich ei ffrind a'i harwain i lawr y stryd.

9

'Mae angen rhywbeth cryfach na Coke arnat ti heno,' meddai Catrin wrth iddyn nhw gerdded i mewn i'r Plough.

'Na, dw i'n iawn.'

Ond doedd Catrin ddim yn gwrando, ac archebodd jin i'w ffrind. Doedd gan Delyth ddim nerth i brotestio a chymerodd jochiad o'r gwydr, ond doedd y ddiod ddim yn gwneud iddi deimlo'n well. Roedd yn wyllt gyda hi'i hun am fod mor ddagreuol, ond roedd hi wedi ei brifo i'r byw.

'Paid â gadael i bobl weld dy fod ti wedi bod yn crio dros ryw hogyn,' meddai Catrin ar ôl iddynt eistedd wrth fwrdd ar eu pennau'u hunain.

'Be haru chi'ch dwy heno? Be dw i wedi'i wneud i bechu'r tro 'ma, Catrin?' Roedd Cen wedi dod at eu bwrdd. 'Ble mae Dyf gen ti, Delyth?'

Roedd Delyth yn teimlo'r dagrau'n cronni eto, a fedrai hi ddim dweud wrth Cen beth oedd yn bod. Gwelodd Catrin fod ei ffrind yn edrych yn ddagreuol, a phenderfynodd y byddai'n rhaid dweud wrth Cen. Beth bynnag, mae'n siŵr y byddai'n gwybod petai rhywun arall gan Dyfrig.

'Rargian fawr, wyt ti'n siŵr mai Dyf oedd o?' meddai Cen yn syn ar ôl clywed newyddion Catrin. 'Mi fasai o wedi dweud wrtha i tasai o wedi sgorio, dw i'n siŵr. Mi a' i i holi rhai o'r hogiau i weld ydyn nhw'n gwybod rhywbeth.'

'Na, paid cyhoeddi'r peth i bawb!' dywedodd Catrin yn flin.

'Na, gad iddo holi,' mynnodd Delyth. 'Dw i isio gwybod y gwir.'

Aeth Cen i holi rhai o'r hogiau ym mhen pellaf y bar, ac wrth iddo gerdded yn ôl at y genethod, roedd yn amlwg o'i wyneb fod ganddo newyddion drwg. Ceisiodd leddfu dipyn ar stori Llion fod Dyfrig wedi cyfarfod â rhyw hogan ar ôl bod allan gyda Dafydd neithiwr. Am dipyn roedd distawrwydd. Doedd neb wedi disgwyl hyn. Sut oedd cysuro Delyth nawr?

Yr eiliad honno cyrhaeddodd Meic. 'Oes rhywun isio diod?' holodd, ond ysgydwodd pawb eu pennau. Aeth Catrin ar ei ôl at y bar.

Wedi esbonio'r sefyllfa, gofynnodd iddo a fyddai'n fodlon mynd â Delyth adref, er mwyn iddi hi gael mynd gyda Cen.

' . . . y . . . Iawn,' atebodd Meic.

Aeth yn ôl at Delyth a dweud beth oedd wedi ei drefnu.

'Mi ffonia i fory,' dywedodd Catrin yn garedig. 'A phaid â phoeni!'

'Wyt ti am ddiod arall rŵan?' holodd Meic ar ôl i Cen a Catrin adael.

'Na, dim diolch, dw i am fynd adref. Mi fydda i'n iawn. Arhosa di yma i siarad efo'r hogiau.'

'Na, mi ddo' i efo ti.'

'Does dim rhaid.'

'Na, dw i isio dod,' meddai Meic yn bendant.

Roedd Delyth eisiau mynd am dro ar hyd glan y môr cyn mynd adref. Roedd Meic yn teimlo braidd yn anesmwyth. Beth petai rhywun yn eu gweld ac yn dweud wrth Dyfrig? Roedd Delyth yn ddistaw iawn, a doedd gan Meic fawr o syniad beth i'w ddweud i geisio codi ei chalon.

'Mae'n noson braf,' dywedodd yn sydyn, wedi dod o hyd i'w dafod, ond yna sylweddolodd pa mor wirion oedd ei sylw. 'Mae'n ddrwg gen i,' ymddiheurodd.

'Na, mae'n iawn. Fi ddylai ymddiheuro i ti. Mae'n ddrwg gen i dy fod ti wedi cael dy dynnu i mewn i hyn. Dw i ddim yn llawer o gwmni heno, ydw i? Gawn ni eistedd acw am dipyn?'

Eisteddodd y ddau ar fainc ac edrych ar y môr. Roedd yn noson serennog braf a'r lleuad yn llawn. Meddyliodd Meic pa mor eironig oedd y gair 'cwmni' mewn gwirionedd. Roedd wedi dyheu lawer gwaith am gadw cwmni i Delyth, hyd yn oed cyn iddi ddechrau canlyn Dyfrig, ond yr un hen hanes oedd hi; fedrai o ddim magu digon o blwc i ofyn iddi.

'Wyt ti'n teimlo dipyn yn well rŵan?' gofynnodd Meic yn garedig ymhen tipyn.

'Ydw, diolch. Dw i'n well wedi gadael yr hen dafarn 'na. Mae'n gas gen i'r lle.'

'Pam felly?'

'Dw i ddim yn hoffi'r syniad bod rhaid mynd i dafarn i gael hwyl.'

'Dw i'n cytuno efo ti mewn ffordd, ond mae pawb yn mynd, dyna'r broblem. Mae'n iawn os wyt ti'n yfed Coke neu rywbeth, neu dim ond yn cael rhyw ambell hanner.'

'Ond dydy Dyf ddim yn gallu gwneud hynny. O, dyna fi wedi dweud ei enw eto, ac roeddwn i wedi penderfynu anghofio amdano.'

'Roeddwn i'n meddwl dy fod ti'n hoff iawn ohono fo. Fedri di ei anghofio fo, wyt ti'n meddwl?'

'Dyna'r broblem. Dw i'n meddwl fy mod i mewn cariad efo fo. 'Sgen i ddim syniad beth yn union ydy cariad, cofia. Dw i'n cofio gofyn i Mam pan o'n i'n fach iawn beth oedd o. Mi ddwedodd hi y baset ti'n fodlon marw dros berson roeddet ti'n ei garu. Faswn i ddim yn gwneud hynny dros Dyf, ond dw i'n andros o hoff ohono fo er gwaethaf y ffordd mae o'n fy nhrin i weithiau. Dyna pam dw i wedi aros efo fo, mae'n siŵr. Beth sy'n brifo rŵan ydy ei fod o wedi fy nhwyllo i; does neb wedi gwneud hynny i mi o'r blaen.'

Roedd gonestrwydd Delyth wedi syfrdanu Meic, a doedd o ddim yn disgwyl ei chwestiwn nesaf chwaith.

'Wyt ti erioed wedi bod mewn cariad efo rhywun, Meic?'

Teimlodd Meic ei dafod yn fferru yn ei geg. Doedd ganddi'r un syniad lleiaf beth roedd hi'n ei ddweud. Y gwir oedd mai hi oedd yr un roedd o wedi breuddwydio amdani fwyaf. Rŵan oedd yr amser i ddweud wrthi ond, fel arfer, ddaeth y geiriau ddim.

' . . . y . . . Na!'

'Mae'n ddrwg gen i, ddylwn i ddim fod wedi holi. Gawn ni fynd rŵan, os gweli di'n dda?'

Cododd Delyth oddi ar y fainc, a dilynodd Meic hi'n ddistaw. Wedi cyrraedd tŷ Delyth, trodd hithau a dweud wrtho, 'Diolch am bopeth, Meic.'

'Am be?' holodd yn syn.

'Am fod yna, ac am wrando arna i.' Rhoddodd gusan ar ei foch. 'Nos da, Meic.'

Roedd Meic yn crynu drwyddo. Bron heb feddwl, gafaelodd yn Delyth a'i chusanu'n wyllt. Ymatebodd hithau am ychydig, yna tynnodd yn rhydd a rhedeg i mewn i'r tŷ, gan gau'r drws yn glep ar ei hôl. Safodd Meic yno'n synnu ato'i hun ei fod wedi gwneud y ffasiwn beth. Er bod cywilydd arno ei fod wedi cusanu cariad un o'i ffrindiau, eto i gyd roedd yn teimlo rhyw ryddhad ei fod wedi cusanu merch am y tro cyntaf.

10

Roedd Llinos wedi trefnu cyfarfod â'i ffrindiau mewn tafarn a chafodd hi groeso mawr gan Derec a'r lleill.

'Sut mae, mêt?' gofynnodd Derec gan droi at Dyfrig. 'Wyt ti am ddiolch i mi a Llinos am dy berswadio di i gymryd y dôp neithiwr? Yn ôl be glywais i, gest ti yfflon o amser da wedyn!' a rhoddodd ei fraich o gwmpas ysgwyddau Dyfrig a'i wasgu'n chwareus.

Teimlodd Dyfrig ei hun yn cochi wrth i weddill y criw chwerthin a wincio arno. Roedd yn gas ganddo'r Derec yna'n fwy na neithiwr. Petai'n rhoi ei fraich o'i gwmpas unwaith eto, roedd yn siŵr y byddai'n ei daro. Roedd Llinos mewn hwyliau drwg hefyd, ac yn flin gyda Dyfrig am ei fod wedi gwisgo jîns; roedd yn rhaid i'r ddau ffarwelio â'r lleill oedd yn mynd i Razzles.

'Be am fynd am dro ar y pier?' awgrymodd Dyfrig.

Chwarddodd Llinos yn wawdlyd. 'Rwyt ti'n tynnu fy nghoes i, debyg?'

Penderfynodd Dyfrig beidio ag ateb; doedd o ddim am ddweud rhywbeth o'i le eto.

'Dw i'n gwybod, awn ni i ffair y Rhyl!' meddai hi.

'Ond mae'n rhy hwyr, fydd dim bws rŵan.'

'Bws? Pwy soniodd am fws? Fedrwn ni fynd mewn car!'

'Car pwy?' holodd Dyfrig yn ddiniwed.

'Diawl, rwyt ti'n araf weithiau. Benthyg car, wrth gwrs! Paid â dweud nad wyt ti wedi benthyg car o'r blaen er mwyn cael hwyl? Mae'r perchennog yn ei gael yn ôl yn y bore; mae'r annwyl heddlu mor drylwyr y dyddiau yma.'

'Dwyt ti ddim o ddifrif?' meddai Dyfrig mewn braw.

'Dw i ddim yn gwybod be welais i ynot ti. Wel, yndw, dw i yn cofio. Roeddwn i'n dy ffansïo di'n uffernol, ond rwyt ti'n andros o naïf weithiau.'

Doedd hyn ddim wedi plesio Dyfrig o gwbl, ond chafodd o ddim amser i'w hateb. Gafaelodd Llinos yn ei law a'i arwain nes cyrraedd drws siop yn ymyl tŷ bwyta.

'Mi ddangosa i i ti. Mae pobl yn meddwl cymaint am eu boliau, maen nhw'n anghofio am yr hysbysebion ar y teledu ynglŷn â chloi eu ceir. Fydd dim rhaid i ni aros yn hir, mi gei di weld.'

Roedd Dyfrig yn teimlo fel rhedeg oddi yno, ond doedd o ddim eisiau iddi edliw iddo eto am fod yn naïf. Beth bynnag, doedd bosib y byddai rhywun mor wirion â gadael car heb ei gloi. Na, doedd hi ddim yn bosib i'w chynllun weithio; doedd dim rhaid poeni.

Arhosodd nifer o geir, ond cloiodd pob un o'r perchnogion ei gar yn ofalus. Penderfynodd Dyfrig ddweud dim; byddai Llinos yn siŵr o flino cyn hir. Yna arhosodd dyn a dynes mewn Fiesta. Roedden nhw'n eitha meddw ac mewn gormod o hwyliau da i drafferthu cloi'r car.

'Rŵan!' gwaeddodd hi. 'Maen nhw wedi gadael y goriadau yn y clo!' a chyn i Dyfrig fedru dweud dim roedd Llinos wedi rhedeg at y car.

'Tyrd! Brysia! Mi gei di yrru!'

Doedd dim amdani ond ufuddhau. Petai o'n dweud wrthi nad oedd o ddim yn ddigon hen i yrru, byddai hi'n darganfod ei oed go iawn. Wedi cyrraedd y car roedd ei fysedd yn crynu cymaint, prin y medrai droi'r goriadau i danio'r injan. Diolchodd ei fod wedi gyrru car ei gefnder ar dir y fferm yn Ynys Môn sawl gwaith. Gollyngodd y brêc a gwasgu ei droed ar y sbardun. Neidiodd y car ymlaen.

'Gan bwyll!' gwaeddodd Llinos. 'Mi fydd y glas yn sylwi!'

Cyn pen dim roedd y car wedi mynd heibio i orsaf Bae Colwyn, ond yna gwelodd Dyfrig fod y goleuadau traffig o'i flaen yn goch.

'Beth wna i rŵan?' gwaeddodd mewn panig.

'Does dim ceir o gwmpas. Paid ag aros. Dos i'r chwith ac ar y ffordd osgoi,' gorchmynnodd Llinos.

Bron i'r car daro yn erbyn y palmant wrth i Dyfrig droi'r gornel yn sydyn.

'Cymer dy amser, neu mi fyddi di wedi ein lladd ni!'

Roedd hi dipyn yn haws gyrru ar ffordd syth, ond roedd dwylo Dyfrig yn dal i grynu wrth afael yn y llyw. Pan gyrhaeddon nhw'r troad i Landdulas gwaeddodd Llinos arno i droi oddi ar y briffordd.

'Pam fan'na?'

'Mi gei di weld . . . Y ffordd yma!'

Roedd y ffordd yn gul a throellog, ac unwaith eto roedd Dyfrig yn cael trafferth cadw ar y lôn. Roedden nhw wedi cyrraedd glan y môr. Doedd dim golau yn unman, a dim ceir na phobl i'w gweld yng ngolau lampau'r car.

'Pam yn y byd roeddet ti isio dod yma?' holodd Dyfrig.

'Mi ddangosa i ti rŵan!' a dechreuodd Llinos ei gusanu. Mewn dim amser roedd Dyfrig wedi anghofio ei ofn.

'Hei, rwyt ti'n wahanol i neithiwr!' chwarddodd Llinos gan dynnu i ffwrdd oddi wrtho. 'Does dim yn dy ddal di'n ôl heno, nac oes?'

'Be sy'n bod rŵan?' gofynnodd Dyfrig gan geisio'i chusanu eto.

'Dw i wedi cadw'r rhain i ni!' meddai, gan ddangos dau *joint* iddo.

'Be am roi'r seddau yma i lawr?' cynigiodd Dyfrig wrth i Llinos danio'r ddwy sigarét oedd ganddi, ac wrth gwrs doedd dim gwaith perswadio arni!

Rhyw dri chwarter awr yn ddiweddarach awgrymodd Llinos fod yn well iddynt fynd, neu byddai'r ffair wedi cau. Taniodd Dyfrig yr injan ac i ffwrdd â nhw yn ôl i'r ffordd fawr. Roedd Dyfrig yn gyrru'n llawn hyder erbyn hyn. Agorodd y ddau'r ffenestri a gadael i'r gwynt chwythu trwy eu gwalltiau. Roedd peiriant casetiau yn y car a thâp roc yn chwarae. Trodd Llinos y sŵn i fyny'n uchel. Roedd y ddau ar ben eu digon yn chwerthin ac yn sgrechian wrth i'r car gyflymu. Cyn pen dim roedden nhw'n gwneud dros naw deg milltir yr awr.

Cafodd Dyfrig drafferth arafu er mwyn troi i Bensarn, ond cyn bo hir roedd y car yn mynd fel y gwynt eto trwy Dywyn a Bae Cinmel, ac wrth iddynt gyrraedd Pont y Foryd gwaeddodd Llinos, 'Hwrê! Dacw'r ffair!'

Yr eiliad nesaf trodd ei gweiddi hapus yn sgrechfeydd o ofn wrth i Dyfrig golli rheolaeth ar y car wrth geisio troi i'r chwith i gyrraedd rhodfa'r môr. Trawodd y car yn erbyn postyn ar y cylchfan ynghanol y ffordd a'i chwalu'n deilchion . . . croesi'r ffordd . . . chwalu'r ffens yr ochr arall a mynd trwyddi . . . troi drosodd a throsodd . . . a hyrddio i mewn i wal adeilad gyda sŵn erchyll. Wedyn roedd tawelwch llethol.

11

Am dipyn roedd popeth yn ddu, ac er bod ei goesau'n brifo, roedd Dyfrig yn gwybod bod yn rhaid iddynt ffoi cyn i'r heddlu gyrraedd, neu byddai ar ben arnynt.

'Tyrd, Llinos. Rhaid i ni fynd o'ma!' gwaeddodd gan droi ati. Yna dychrynodd am ei fywyd. Roedd gwaed dros ei hwyneb i gyd, ac roedd blaen y car ar ei hochr hi wedi ei wasgu i mewn. Roedd ei choesau'n amlwg yn sownd.

'Deffra, Llinos! Rhaid i ni fynd!' gwaeddodd wrth ei hysgwyd, ond roedd Llinos yn hollol ddiymadferth.

'O, na! Dw i wedi ei lladd hi!' Daeth panig mawr drosto. Roedd yn rhaid dianc o'r car. Ceisiodd agor y drws ond methodd. Y drws cefn; dyna'i unig obaith! Rhywsut tynnodd ei hun dros y sedd ac i'r cefn. Yn wyrthiol, agorodd y drws.

Safodd ar ei draed yn sigledig. Roedd ei ben bron â hollti, ond cafodd nerth o rywle i hanner cerdded, hanner rhedeg oddi yno. Gwelodd ddau ddyn a dynes yn rhedeg at y car.

'Helpwch Llinos!' gwaeddodd Dyfrig. 'Dw i wedi ei lladd hi!'

'Beth? Hei! Dewch yn ôl!' gwaeddodd un o'r dynion arno, ond cafodd Dyfrig fwy o nerth o rywle wedi clywed y dyn, a rhedodd yn gyflymach am y ffordd fawr a thros Bont y Foryd i gyfeiriad Bae Cinmel.

Wedi cyrraedd y bont gwelodd wal isel wrth ochr y ffordd fawr. Taflodd ei hun drosti a chuddio y tu ôl iddi, ond doedd dim sôn am y dyn. Gorweddodd ar ei gefn ar y glaswellt; medrai weld wyneb gwaedlyd Llinos yn y car. Rhoddodd ei ben yn ei ddwylo a dechrau crio. 'Na! Na!'

Yna cafodd andros o fraw wrth i lais weiddi y tu ôl iddo. Sylweddolodd ei fod yng ngardd rhywun, ac roedd yn amlwg nad oedd perchennog y tŷ yn falch o'i weld. Baglodd yn ôl dros y wal a dechrau rhedeg eto. Oedodd am eiliad wrth glywed sŵn seiren a goleuadau glas yn fflachio yr ochr arall i'r bont. Yna prysurodd i lawr y ffordd; roedd yn rhaid iddo gyrraedd ei gartref a diogelwch.

Cyn hir roedd ei goesau'n methu rhedeg dim mwy, ac roedd yn rhaid bodloni ar gerdded. Aeth yn ei flaen trwy Fae Cinmel, Tywyn a Belgrano, heibio'r meysydd carafanau diddiwedd, gan arafu bob munud. Erbyn cyrraedd Pen-sarn roedd yn gwybod na fedrai gario ymlaen, a thaflodd ei hun ar fainc. Rhoddodd ei ben yn ei ddwylo eto, ond sylweddolodd fod ei fysedd yn wlyb. Edrychodd arnynt a gweld eu bod yn waed i gyd. Mae'n rhaid bod ei ben yntau'n gwaedu hefyd.

Ar ôl eistedd mewn breuddwyd am dipyn, medrai glywed sŵn traffig yn gwibio heibio ar y ffordd osgoi uwchben. Dyna'i unig obaith; cael pàs. Cododd o'r sedd, ond roedd ei goesau'n gwegian yn waeth erbyn hyn a chafodd gryn drafferth dringo i fyny at y ffordd. Wedi cyrraedd, sylweddolodd ei fod yn y lôn anghywir. Roedd yn wyrthiol na chafodd ei daro gan gar wrth groesi'r ffordd brysur a dringo dros y rhwystr yn y canol.

Dechreuodd fodio. Roedd bron ag anobeithio ar ôl chwarter awr pan, er rhyddhad iddo, arhosodd lori. Gwyddel oedd y gyrrwr, yn mynd â llwyth i Gaergybi i ddal y llong i Iwerddon. Chwarddodd pan welodd gyflwr Dyfrig gan feddwl ei fod wedi bod yn cwffio. Cytunodd Dyfrig; doedd o ddim eisiau i'r dyn wybod y gwir.

Doedd Dyfrig erioed wedi bod mor falch o gyrraedd adref. Ymlwybrodd i fyny'r grisiau i'w lofft. Yna'n sydyn, agorodd drws ystafell ei rieni a chlywodd lais ei dad yn bytheirio.

'Wel, pa esboniad sy gen ti y tro 'ma, 'machgen i? Mae'n ugain munud i ddau!'

Yn sgil popeth oedd wedi digwydd, roedd Dyfrig wedi anghofio am yr amser a'i rieni.

Yna gwelodd ei dad y gwaed ar ei dalcen. 'Be yn y byd wyt ti wedi bod yn ei wneud? Edrycha golwg sy arnat ti!'

Erbyn hyn roedd ei fam wedi codi.

'Dyfrig! Mae gwaed drosot ti i gyd, a drycha ar dy ddillad, maen nhw wedi rhwygo!'

Roedd hi'n brifo i feddwl, ond roedd Dyfrig yn gwybod bod yn rhaid iddo ddod o hyd i esgus, a hynny ar unwaith.

'Aethon ni am dro ar hyd rhodfa'r môr a syrthiais

i dros y canllaw. Dyna pam dw i mor hwyr. Mi ges i drafferth mawr cerdded adref.'

'Dwy awr i gerdded adref! Wyt ti'n disgwyl i mi gredu hynny?' gwaeddodd ei dad.

'Dos yn ôl i'r gwely, Llew,' torrodd ei wraig ar ei draws gan geisio'i dawelu. 'Mi a' i i nôl TCP i olchi ei wyneb. Mi gawn ni siarad mwy am hyn yn y bore. Mi fedrai Dyfrig fod wedi brifo ei hun yn ofnadwy.'

Er rhyddhad i Dyfrig a'i fam, ond am resymau gwahanol iawn, trodd Llew Lewis ar ei sawdl a mynd yn ôl i'w lofft.

'Mi wna i folchi yn y bore, Mam,' dywedodd Dyfrig, er mwyn ceisio cael gwared ohoni hi hefyd.

'Na, rhaid i ti wneud ar unwaith neu mi fydd y clwyf wedi mynd yn ddrwg. Dos i dy stafell, ac mi fydda i yno mewn munud.'

Eisteddodd Dyfrig ar ei wely. Roedd yn teimlo fel crio eto, ond roedd yn gwybod bod yn rhaid iddo beidio.

'Rwyt ti wedi rhwygo dy grys chwys, ac edrycha, rwyt ti wedi torri dy oriawr newydd hefyd!' Ac yn wir roedd gwydr yr oriawr ddrud wedi malu ac un o'r bysedd ar goll.

O'r diwedd roedd hi wedi gorffen ac yn ei siarsio i fynd yn syth i'w wely. 'Rwyt ti wedi cael andros o fraw. Rwyt ti'n wyn fel y galchen ac yn crynu o hyd.'

'Iawn. Diolch, Mam.'

Tynnodd ei esgidiau a'i jîns a'u taflu ar y llawr. Aeth i mewn i'w wely. Claddodd ei ben yn y

gobennydd a dechrau crio – beichio crio fel plentyn
bach.

12

Cafodd Dyfrig noson ofnadwy. Ymhen hir a hwyr syrthiodd i gysgu, ond bu'n troi a throsi drwy'r nos. Cafodd hunllefau erchyll lle'r oedd yn ail-fyw'r ddamwain ac yn deffro wrth i'r car hyrddio i'r wal a Llinos yn waed i gyd. Deffrodd sawl gwaith dan weiddi, yn foddfa o chwys.

Cododd i fynd i'r ystafell ymolchi tua chwarter wedi wyth, a neidiodd wrth i'w fam ddod allan o'i llofft hithau pan oedd ar y landin.

'Sut wyt ti y bore 'ma? Rwyt ti'n edrych yn welw iawn.'

'Na, dw i'n llawer gwell, diolch,' atebodd, er ei fod yn teimlo'n ofnadwy.

'Wel, dw i'n falch dy fod ti wedi codi'n gynnar ar ddydd Sul am unwaith. Beth am ddod i'r capel efo ni y bore 'ma? Mi faset ti'n plesio dy dad . . . mae'n poeni cymaint amdanat ti y dyddiau yma.'

Y capel! Efallai y byddai hynny'n tawelu ei dad, ond roedd yn gwybod na fedrai fynd y bore 'ma, roedd o'n teimlo mor ofnadwy.

'Mae gen i ormod o waith cartref i'w wneud y bore 'ma . . . ond efallai heno os bydda i wedi gorffen . . .' a throdd i fynd yn ôl i'w ystafell cyn i'w fam fedru dweud mwy.

Eisteddodd ar ei wely eto, ei feddwl yn dal i droi. Fedrai o ddim peidio ag anghofio am Llinos. Roedd o wedi ei gadael hi yno a hithau mewn ffasiwn gyflwr. Fyddai hi'n deall pam roedd yn rhaid iddo redeg o'r ddamwain? Fyddai hi'n dweud wrth yr heddlu pwy oedd yn gyrru? Ond efallai ei bod hi wedi marw! O na, doedd hynny ddim yn bosib! Y newyddion! Mae'n siŵr y byddai hanes y ddamwain ar y newyddion.

Gwnaeth hyn iddo wisgo a mynd i'r gegin. Roedd Radio Cymru ymlaen, a'i dad yn gwrando ar y rhaglen grefyddol cyn naw. Chododd o mo'i ben wrth i Dyfrig ddod i'r ystafell, dim ond cario ymlaen i fwyta'i frecwast yn ddistaw.

Chwaraeodd Dyfrig â'i fwyd, ond fedrai o fwyta dim. Yna, dyna newyddion naw o'r gloch yn dechrau. Beth petai sôn am y ddamwain? Roedd ei geg yn sych a medrai ei glywed ei hun yn dechrau crynu.

Eitem am yr helyntion yn y Dwyrain Canol oedd i ddechrau, wedyn tân mawr yng Nghaerdydd yn ystod y nos, ac yna hanes y ddamwain. Caeodd Dyfrig ei lygaid yn dynn.

'Anafwyd merch tua ugain oed yn ddifrifol mewn damwain car yn y Rhyl tua hanner nos neithiwr. Roedd y car Fiesta wedi ei ddwyn yn gynharach yr un noson ym Mae Colwyn, ac aeth oddi ar y ffordd yn ymyl Pont y Foryd. Aethpwyd â'r ferch i Ysbyty Glan Clwyd ym Modelwyddan gydag anafiadau difrifol i'w phen a'i choesau, ond cafodd ei throsglwyddo yn ddiweddarach i Ysbyty Walton yn Lerpwl, lle mae hi'n parhau'n ddifrifol wael.

Gwelwyd gyrrwr y car, llanc tua ugain oed, yn rhedeg o'r car ar ôl y ddamwain. Mae'r heddlu'n apelio am dystion, ac yn gofyn i unrhyw un sydd â gwybodaeth i'w ffonio nhw ar Fae Colwyn 517171.

'Bu damwain arall neithiwr ger Aberystwyth . . . '

'Tydy'r damweiniau 'ma'n ofnadwy?' torrodd ei fam ar draws y darllenwr newyddion. 'Meddyliwch, gadael yr hogan 'na yn y car a rhedeg i ffwrdd! Mwy o de, Dyfrig?'

Ond roedd Dyfrig ar ei ffordd allan o'r gegin. Wedi cyrraedd ei ystafell, taflodd ei hun ar ei wely eto.

O leiaf mae hi'n fyw, meddyliodd. Roedd hynny'n rhyw gysur, ond eto roedd yn teimlo mor euog. A beth petai'r heddlu . . . ond roedden nhw'n meddwl bod y gyrrwr yn ugain oed . . . dim ond i Llinos gadw'n ddistaw!

Ar ôl troi'r digwyddiadau yn ei ben am dipyn, penderfynodd Dyfrig fod yn rhaid iddo siarad â Delyth; hi oedd ei unig obaith. Byddai hi'n ei helpu. Onid oedd hi wedi dweud ei bod yn ei garu nos Iau? Aeth i lawr y grisiau'n ddistaw ac at y ffôn yn y lolfa; gyda lwc fyddai ei rieni ddim yn ei glywed yno.

Tad Delyth atebodd y ffôn.

'Ydy, mae hi yma, ond rydan ni ar fin cychwyn i'r capel . . . un funud.'

'Hylô!'

'Dyfrig sy 'ma. Wnei di ddod am dro efo mi y bore 'ma? Dw i isio siarad efo ti.'

'Dim diolch!' atebodd Delyth yn swta.

'Ond mae'n rhaid i ti ddod. Mae'n bwysig! Plîs!'

Dechreuodd Delyth feddwl. Doedd arni ddim eisiau mynd gyda Dyfrig, ond ar y llaw arall byddai'n gyfle da i ddweud wrtho beth roedd hi'n feddwl ohono. Doedd gan Dyfrig ddim syniad eto ei bod hi'n gwybod am yr hogan arall yna. Roedd yn hen bryd dysgu gwers iddo.

'Iawn, am dipyn ar ôl y capel os ydy hi mor bwysig. Wyt ti'n dod i'r capel y bore 'ma, Dyfrig?' gofynnodd braidd yn wawdlyd.

'Dim ffiars o beryg! Mi wela i di ar ôl y capel. Mi arhosa i amdanat ti ar y sedd tu allan i Fanc y Midland.'

'O'r gorau,' cytunodd Delyth a rhoi'r ffôn i lawr.

Prysurodd Dyfrig yn ôl i'w lofft a dechrau gwrando ar un o'i hoff gryno-ddisgiau, ond fedrai o ddim canolbwyntio ar y gân. Roedd ei feddwl yn mynd yn ôl at y ddamwain ac at wyneb Llinos yn waed i gyd yn gorwedd yn y car. Diolch byth nad oedd ei dad wedi holi mwy am neithiwr; efallai ei fod yn aros nes iddo ddod yn ôl o'r capel ac nad oedd am gael ffrae cyn mynd.

Ychydig dros awr yn ddiweddarach gadawodd Dyfrig y tŷ a cherdded i'r dref mewn breuddwyd i gyfarfod â Delyth. Roedd yn rhaid esbonio popeth iddi. Dyma ei dasg anoddaf erioed, a doedd dim modd dweud celwydd y tro hwn chwaith.

Mewn tua deng munud gwelodd Delyth yn cerdded i fyny'r stryd. Roedd Meic gyda hi.

O, na! meddyliodd. Mae'n mynd i ofyn i Meic ddod hefyd! Ond rhoddodd ochenaid o ryddhad wrth weld Meic yn troi i lawr Stryd y Bont i gyfeiriad ei gartref.

'Sut mae?' gofynnodd Dyfrig gan geisio gwenu. 'Diolch am ddod. Beth am fynd i lawr at lan y môr?'

'Iawn,' oedd unig ateb Delyth.

Cerddodd y ddau trwy'r dref ac at y traeth, ac wedyn dilyn y llwybr at y clogwyni uwchben y môr. Wedi cyrraedd, eisteddodd y ddau ar fainc yn edrych allan i'r môr. Roedd y ddau ohonynt wedi bod yn hollol dawedog bob cam o'r ffordd.

'Wel?' holodd Delyth yn ddiamynedd. 'Be oedd mor bwysig bod yn rhaid i ti siarad efo mi ar unwaith? Dwyt ti ddim wedi dweud dim byd eto!'

Doedd Dyfrig ddim yn gwybod sut i ddechrau.

'O, dw i wedi cael digon ar hyn. Dw i'n mynd!' a chododd Delyth yn flin.

Neidiodd Dyfrig ar ei draed i'w hatal. 'Na! Paid â mynd. Mae'n rhaid i mi gael siarad efo ti.'

Eisteddodd yn ôl ar y fainc a'i ben yn ei ddwylo. Roedd yn teimlo fel crio eto, ond llwyddodd i'w atal ei hun rywsut. Oedodd Delyth. Doedd hi erioed wedi ei weld fel hyn o'r blaen. Eisteddodd eto.

'Yli, Delyth, dw i'n mynd i dy frifo di rŵan, mae arna i ofn.'

'Dw i ddim yn meddwl . . . Dw i'n gwybod yn barod.'

'Be . . . ?' Roedd hynny'n amhosib. Fedrai hi ddim gwybod.

'Mi welais i ti neithiwr.'

'Neithiwr . . . ?'

'Efo'r hogan 'na.'

'Llinos?'

'Dw i ddim isio gwybod ei henw hi. Rwyt ti'n gwbl ddiegwyddor. Mi ddwedaist ti wrth Catrin na fyddet ti'n mynd allan o gwbl a mi es i i'r Plough gyda hi am ei bod hi 'di pwyso arna i. Ac ar y ffordd yna dw i'n dy weld di allan efo hogan arall!'

'Mae'n ddrwg gen i, Delyth.'

'O, ac mae hynny'n gwneud pethau'n iawn, ydy o? Mae'n rhaid fy mod i'n hollol wirion yn peidio â gweld drwyddot ti cyn hyn!' a chododd ar ei thraed eto.

'Na, Delyth, paid â mynd! Doeddwn i ddim wedi bwriadu dy frifo di!' Edrychodd Delyth yn amheus arno. 'Ond mae pethau'n llawer gwaeth na hynny, mae arna i ofn.'

'Gwaeth? Oes yna unrhyw beth sy'n waeth na thwyll?'

Yna dechreuodd Dyfrig adrodd digwyddiadau'r noson cynt. Roedd Delyth yn gwbl fud. Fedrai hi ddim credu mai'r Dyfrig roedd hi wedi bod yn ei ganlyn oedd wedi dwyn car a chymryd cyffuriau.

'Dw i ddim isio clywed mwy. Rwyt ti wedi dechrau colli arnat dy hun yn dweud y pethau yma wrtha i. Gadael yr hogan a rhedeg i ffwrdd!'

'Rhaid i ti fy helpu i!' plediodd Dyfrig.

'Fi! Sut? A pham dylwn i? Ti oedd yn gyrru'r car ac

est ti i ffwrdd a'i gadael hi. Does gen i ddim gronyn o gydymdeimlad efo ti o gwbl!'

'Roeddwn i'n gwybod bod pobl yna i'w helpu hi. Beth tasai'r heddlu wedi fy nal i?'

'O ie, meddwl amdanat ti dy hun eto. Dyna hanes ein perthynas ni hefyd, yntê? Pam wyt ti mor hunanol? Mae dy rieni wedi gwneud eu gorau drosot ti erioed.'

'Iawn, dw i'n hunanol . . . ond beth ddigwyddith os daw'r heddlu i wybod mai fi oedd yn gyrru'r car?'

'Os? Paid â thwyllo dy hun, Dyf. Mi ddôn nhw i wybod, mae hynny'n sicr.'

'Fydd Llinos ddim yn dweud wrthyn nhw, dw i'n siŵr.'

'Ar ôl i ti ei gadael hi?'

'Mi fasen nhw'n gwybod ei bod hi'n gysylltiedig â chyffuriau wedyn!'

'Felly rwyt ti'n iawn! Beth ydy dy broblem di? Pam wyt ti'n dweud wrtha i?'

'Roeddwn i'n teimlo mor ofnadwy, mor euog, roedd rhaid i mi siarad efo ti achos 'mod i'n ymddiried ynddot ti.'

'O, chwarae teg. Rwyt ti'n teimlo'n euog. Mae hynny'n gwneud popeth yn iawn, mae'n debyg.'

'Nac ydy . . . Yli, Delyth, mae'n ddrwg gen i am fynd efo hi fel 'na, ond mae pethau wedi bod yn anodd iawn rhyngddon ni'n ddiweddar, a beth bynnag, hi fynnodd . . . '

'Rwyt ti'n swnio fel taset ti isio mynd allan efo fi

eto,' torrodd Delyth ar ei draws.

'Ydw, wrth gwrs. Mae dy angen di arna i. Fydd dim byd fel hyn yn digwydd eto.'

'Rwyt ti yn llygad dy le, achos fydd 'na ddim tro nesa.'

'Na, Delyth! Mi ddwedaist ti dy fod di'n fy ngharu i y noson o'r blaen, a dw i'n gwybod rŵan mai ti dw i wir isio; dim ond ffling bach oedd Llinos.'

Doedd Delyth ddim yn deall sut y medrai Dyfrig fod mor galed, a'r hogan mor wael yn yr ysbyty. 'Mi wnes i gamgymeriad,' meddai. 'Roeddwn i'n meddwl fy mod i mewn cariad efo ti, ond ers neithiwr dw i'n sylweddoli nad ydw i ddim.'

'Ond dw i wedi esbonio mai ffling bach oedd Llinos.'

'Dim hynny oedd y rheswm . . . rhywbeth arall . . . ' dywedodd Delyth yn dawel. 'Rhaid i mi fynd rŵan; mi fydd cinio'n barod cyn bo hir.'

'Rhaid i ti fy helpu i benderfynu beth i'w wneud!'

'Does ond un peth medri di ei wneud; mynd at yr heddlu a dweud popeth wrthyn nhw.'

'Ond baswn i'n siŵr o fynd i'r carchar wedyn!'

'Mi fydd yn rhaid i ti ei mentro hi. Os helpi di'r heddlu i ddod o hyd i'r bobl cyffuriau yma, bydd hynny'n siŵr o fod o dy blaid di. Mi fydd pethau'n llawer gwaeth arnat ti os bydd yr heddlu'n dod o hyd i ti'n gyntaf,' rhybuddiodd Delyth.

Ysgydwodd Dyfrig ei ben. 'Rwyt ti'n gwneud i bethau ymddangos mor hawdd.'

'Maen nhw. Os wyt ti wedi torri'r gyfraith, yna mae'n rhaid i ti fod yn barod i dderbyn y canlyniadau. Dyna sy'n iawn hefyd; rhaid i ni amddiffyn cymdeithas . . . Yli, dw i'n mynd. Dw i'n difaru f'enaid fy mod i wedi dod o gwbl.'

'Ga i dy weld ti heno, Delyth?'

'Sut dw i'n mynd i dy gael di i ddeall? Dw i ddim isio mynd allan efo ti byth eto. Dyna pam ddes i yma, er mwyn dweud hynny wrthot ti.'

'Mi fyddi di'n teimlo'n wahanol fory. Dw i'n addo na fydd unrhyw beth fel hyn yn digwydd eto.'

'Mae'n rhy hwyr, Dyfrig. Mae yna rywun arall erbyn hyn; rhywun fydd ddim yn fy nhrin i fel rwyt ti wedi gwneud. Rhaid fy mod i'n ddall. Roedd o dan fy nhrwyn i drwy'r amser.'

'Be, un o'r criw?' meddai Dyfrig yn syn. 'O na, dim Cen! Roeddwn i'n gwybod ei fod o'n dy ffansïo di. Mi lladda i o os . . . !'

'Mae gan Cen gariad, fy ffrind gorau. Dwyt ti ddim yn meddwl am funud y baswn i'n dwyn cariad fy ffrind gorau? Dim ond rhyw fochyn fel ti fasai'n gwneud peth felly!' meddai Delyth yn wawdlyd. 'Doeddwn i ddim am ddweud, ond pa ots rŵan. Meic ydy o!'

Edrychodd Dyfrig yn fud arni am dipyn.

'Meic? Ond mi fydd pawb yn chwerthin am dy ben di. Mae Meic yn destun sbort a dydy o erioed wedi bod efo merch.'

'Efallai nad ydy o ddim yn *macho* fel ti, ond mae

o'n glên ofnadwy a dw i'n siŵr y medra i ddibynnu arno fo bob amser. Ac i ti gael deall, dydy o ddim mor ddiniwed ag wyt ti'n feddwl; mae o'n gystal os nad gwell cusanwr na ti unrhyw ddydd!' a heb fwy o eiriau cerddodd i ffwrdd a gadael Dyfrig ar ei ben ei hun.

13

Roedd ei chinio'n barod pan gyrhaeddodd Delyth y tŷ, ond fedrai hi ddim bwyta na siarad llawer. Aeth i fyny i'w hystafell ar ôl gorffen, gan ddweud wrth ei rhieni bod ganddi gur pen.

Roedd stori Dyfrig yn ei phoeni'n fawr. Diolch byth ei bod hi wedi dod â'u perthynas i ben; doedd hi ddim eisiau ei weld o byth eto! Petai o ond wedi peidio â chymryd y cyffuriau 'na.

Cofiodd beth roedd yr heddlu wedi ei ddweud pan ddaethon nhw i'r ysgol i sôn am beryglon cyffuriau. Y gwerthwyr oedd ar fai a dweud y gwir, a phetaen nhw i gyd dan glo byddai problem cyffuriau'n diflannu dros nos. Medrai weld yr heddwas rŵan yn dweud y dylech chi gysylltu â nhw ar unwaith petai hyd yn oed eich ffrind gorau yn ymhél â chyffuriau, er mwyn ei helpu cyn ei bod hi'n rhy hwyr. Cofiodd iddo ddweud hefyd na fyddai neb yn dod i wybod pwy oedd wedi dweud wrthyn nhw.

Penderfynodd ei bod yn ddyletswydd arni ddweud wrth yr heddlu; medrai Dyfrig eu harwain at y gwerthwyr wedyn. Mae'n siŵr y byddai o mewn helynt mawr, ond roedd yn haeddu dysgu gwers ar ôl gwneud y pethau ofnadwy yna. Oedodd ychydig ac yna cerddodd i lawr y grisiau at y ffôn yn y cyntedd. Roedd y teledu ymlaen yn y lolfa, felly fedrai ei rhieni mo'i chlywed. Roedd ei dwylo'n crynu ond llwyddodd i ddeialu 999 a gofyn am yr heddlu. Mewn dwy eiliad roedd hi drwodd.

'Mae gen i wybodaeth i chi am bwy oedd yn gyrru'r car oedd mewn damwain yn y Rhyl neithiwr. Dyfrig Lewis, 7 Stryd y Castell. Roedd o wedi cymryd cyffuriau pan gafodd y ddamwain. Gofynnwch iddo pwy werthodd y cyffuriau i Llinos!' a chyn i'r plismon gael cyfle i ofyn pwy oedd hi nac unrhyw fanylion eraill, rhoddodd y ffôn i lawr.

* * *

Ar ôl i Delyth adael, roedd pen Dyfrig yn troi. Delyth a Meic, ar ben popeth arall; roedd y peth yn amhosib! Roedd yn teimlo bod pawb a phopeth yn ei erbyn. Fyddai ei ffrindiau i gyd yn ymateb fel Delyth? Fyddai neb eisiau ei nabod petaen nhw'n gwybod beth oedd wedi digwydd, roedd hynny'n siŵr. Beth petai'r heddlu yn ei ddal? Byddai yn y carchar yn hir a fyddai ei rieni ddim eisiau ei arddel ar ôl iddo ddod allan; bydden nhw'n teimlo cymaint o gywilydd.

Yn sydyn sylwodd ar y môr yn torri ar y creigiau islaw. Roedd rhywbeth yn ei ddenu ato. Ie, dyna'r ateb, ei daflu ei hun i'r môr; yn sicr doedd dim pwrpas byw rhagor. Cododd a cherddodd at bwynt uchaf y clogwyn. Safodd ar yr ymyl yn edrych ar y môr odano ac yna draw i'r gorwel. Roedd fel petai'r gorwel yn ei groesawu a rhyw bŵer yn y môr yn ei annog i neidio. Roedd yn teimlo'n benysgafn, ac yn boeth ac yn oer bob yn ail.

Yna pan oedd ar fin camu ymlaen, sylweddolodd hanner arall ei feddwl beth oedd yn mynd i ddigwydd. Byddai boddi'n broses ofnadwy. Mae'n rhaid bod gwell ffordd o'ch lladd eich hun. Trodd a'i daflu ei hun ar y glaswellt. Roedd yn crynu fel deilen, ac wedi dychryn am ei fywyd wrth feddwl am y pwerau cryf roedd newydd eu teimlo. Byddai'n hawdd iddo fod wedi gadael y ddaear yma erbyn hyn. Cododd ar ei eistedd a sylweddoli pa mor wirion oedd meddwl am y ffasiwn beth. Efallai na fyddai neb yn dod i wybod y gwir, beth bynnag. Addawodd iddo'i hun na fyddai byth yn ystyried ei ladd ei hun eto.

Penderfynodd Dyfrig na fedrai wynebu ei rieni, felly byddai'n rhaid iddo aros allan tan ar ôl dau; bydden nhw yn yr ysgol Sul bryd hynny. Dechreuodd gerdded ar hyd y traeth; efallai y byddai hynny'n gwneud iddo deimlo'n well. Cerddodd am ddwy . . . tair . . . pedair milltir mewn breuddwyd cyn troi yn ôl.

Roedd hi'n ddeng munud wedi dau erbyn iddo gyrraedd y tŷ. Roedd bron â llwgu erbyn hynny, ond doedd dim sôn am ginio yn unman. Gwnaeth frechdan iddo'i hun. Wrth fwyta, dechreuodd ei feddwl wibio unwaith eto yn ôl a blaen rhwng Llinos a Delyth a Meic. Yna cafodd syniad; medrai ffonio'r ysbyty i weld sut roedd Llinos. Efallai ei bod hi'n well erbyn hyn.

Chwiliodd yn y llyfr ffôn am rif yr ysbyty a chyn hir roedd yn siarad â rhywun yn Ysbyty Walton. Gofynnodd am Llinos, ond holodd y ddynes yr ochr arall pwy oedd yn galw. Dywedodd Dyfrig ei fod yn 'berthynas'. Cafodd wybod fod Llinos yn ddifrifol wael o hyd. Â'i ddwylo'n ysgwyd wrth ddal y ffôn, gofynnodd a oedd perygl y byddai hi'n marw, ond chafodd o ddim ateb, dim ond ei bod hi mor gyfforddus â phosib o dan yr amgylchiadau.

Trodd y teledu ymlaen gan feddwl efallai y medrai ymgolli mewn rhaglen. Dechreuodd wylio ffilm, ac er ei fod wrth ei fodd yn gwylio ffilmiau fel arfer, doedd hynny ddim yn tycio chwaith.

Canodd cloch y drws ffrynt. Pwy oedd yna rŵan? Roedd ei rieni yn y capel bob prynhawn Sul. Yna gwenodd wrtho'i hun. Delyth! Roedd hi wedi newid ei meddwl. Rhuthrodd i agor y drws, ond diflannodd ei wên ar unwaith. Dau ddyn oedd yno.

'Dyfrig Lewis?' gofynnodd un ohonyn nhw, ond chafodd o ddim ateb, wrth i Dyfrig gau'r drws yn glep yn ei wyneb. Roedd yn gwybod mai'r heddlu oedden nhw.

Y drws cefn, dyna'i unig obaith! Rhedodd Dyfrig am ei fywyd trwy'r tŷ a thrwy'r drws cefn ond chyrhaeddodd o mo'r ffens cyn i un o'r ddau ddyn afael ynddo. Gyda chymorth y llall llwyddodd i ddal Dyfrig yn llonydd a'i fartsio'n ôl i mewn i'r tŷ.

'Rŵan, wyt ti'n mynd i fyhafio, neu oes raid i mi roi'r cyffion arnat ti?' holodd yr hynaf o'r ddau.

'Dw i ddim wedi gwneud dim byd!' gwaeddodd Dyfrig, wedi dychryn drwyddo.

'O, naddo? Pam ceisio rhedeg i ffwrdd felly?'

Taflodd y llall Dyfrig ar y soffa. Gorweddodd yno'n dweud dim am dipyn a'r ddau'n edrych arno.

'Does gynnoch chi ddim hawl i ddod i mewn i'r tŷ fel hyn. Sut dw i'n gwybod mai plismyn ydach chi beth bynnag? Mi fedrwch chi'n hawdd esgus bod yn blismyn!'

'O, mae gynnon ni un clyfar yma, oes 'na?' meddai'r hynaf. Tynnodd ei gerdyn o'i boced a'i ddangos i Dyfrig. 'Dydy'r CID ddim yn gwisgo iwnifform.'

'Ond dw i wedi dweud wrthoch chi unwaith – dydw i ddim wedi gwneud unrhyw beth o'i le.'

'Ble'r oeddet ti neithiwr tua hanner nos?'

'Yma, yn y tŷ.'

'Ar dy ben dy hun, mae'n siŵr.'

'Nage, roedd fy rhieni yma.'

'O, a ble maen nhw rŵan?'

'Yn y capel.'

'Y capel!' chwarddodd y plismon dros y lle. 'Blydi hel, mi gân nhw sioc pan gyrhaeddan nhw adref!'

Suddodd calon Dyfrig wrth feddwl am ei rieni.

'Gadewch i ni drio ffordd arall, 'ta,' meddai'r plismon eto. 'Wyt ti'n nabod merch o'r enw Llinos Prydderch?'

Oedodd Dyfrig am dipyn ond sylweddolodd nad oedd pwrpas gwadu ei fod yn nabod Llinos. 'Ydw, pam?'

'Welaist ti hi neithiwr?'

'Naddo.'

'Mae hynny'n beth od ar nos Sadwrn a chi'ch dau'n gariadon.'

'Cariadon!' Ceisiodd Dyfrig chwerthin. 'Pwy ddwedodd hynny wrthoch chi? Delyth ydy 'nghariad i.'

'Delyth?' meddai'r plismon. 'A . . . Dw i'n gweld rŵan.'

'Gweld beth?' holodd Dyfrig.

'Dim . . . dim byd. Dydy hynny ddim yn bwysig ar hyn o bryd.'

'Ydach chi'n meddwl y dylwn i fynd i fyny i lofft Dyfrig rhag ofn bod y Delyth 'ma yno rŵan, Sarj?' gofynnodd y plismon ifanc.

'Syniad da, Cwnstabl.'

'Does neb yma ond fi!' protestiodd Dyfrig eto.

'A dy rieni yn y capel. Fasai'n gyfle da i'w chael hi i fyny'r grisiau, yn basai?'

'Mae gynnoch chi feddwl budr iawn,' atebodd Dyfrig yn wawdlyd.

Cododd y Sarjant ar ei draed. 'Ewch i fyny a chwilio'i stafell wely'n drylwyr!' gwaeddodd yn flin ar y plismon iau.

'Iawn, Sarj.'

'Mae'n rhaid i chi cael gwarant i wneud hynny.'

'Iawn, mi gawn ni warant os wyt ti isio, ond rwyt ti'n dweud nad wyt ti wedi gwneud dim byd, felly beth sy gen ti i'w guddio?'

'Dim,' atebodd Dyfrig.

'Iawn, Cwnstabl, ewch yn eich blaen.'

Medrai Dyfrig glywed y plismon yn symud pethau o gwmpas yn y llofft uwchben.

'Rŵan 'ta, gad i ni ddechrau eto. Roeddet ti efo Llinos Prydderch tan un ar ddeg neithiwr . . . '

'Naddo, welais i moni hi neithiwr!'

'Ond roeddwn i'n meddwl . . . ' Arhosodd y Sarjant wrth weld y Cwnstabl yn dod i mewn i'r ystafell a chrys chwys Dyfrig yn ei law.

'Wel, beth sy gynnon ni yma, 'ta?' gofynnodd y Sarjant.

'Mae gwaed arno fo, syr. Gwaed eitha ffres yn ôl pob golwg.'

'Ers neithiwr, fasech chi'n ddweud?'

'Ie, mae'n debyg. A hwn, syr,' ac estynnodd oriawr Dyfrig iddo hefyd.

'Mi fues i'n cwffio.'

'Cwffio! Ond roeddwn i'n meddwl dy fod ti yn y tŷ neithiwr?'

'Oeddwn, am hanner nos. Daeth criw o Landudno ar fy ôl i pan oeddwn ar fy ffordd adref o'r dref. Roedd fy mhen yn gwaedu ar ôl iddyn nhw ymosod arna i. Doedd gen i ddim siawns, pedwar yn erbyn un.'

'O druan â ti . . . Wel, ewch yn ôl i'r llofft, Cwnstabl, i weld oes yna rywbeth diddorol arall yno. Rydych chi'n gwybod am beth rydyn ni'n chwilio.'

'Rŵan 'ta, Dyfrig, dwyt ti ddim yn meddwl ei bod

hi'n hen bryd i ti ddweud y gwir am neithiwr? Mae gynnon ni ddigon arnat ti'n barod.'

Ar hynny dyma'r plismon ifanc yn dod i mewn dan chwerthin. 'Edrychwch be dw i wedi'i ffeindio, Sarj!' a rhoddodd gopi o *Penthouse* iddo. 'Dan y fatras, hefyd!'

Trodd y Sarjant y tudalennau a'u dangos i Dyfrig. 'Y mochyn! . . . Wel, dim ond lluniau weli di am y pum neu chwe blynedd nesaf, mae hynny'n siŵr.'

'Beth ydych chi'n feddwl?' gofynnodd Dyfrig mewn braw.

'Wel, does dim merched del na hyll yn y carchar,' chwarddodd yn sbeitlyd.

'Carchar!' gwaeddodd Dyfrig gan godi ar ei draed mewn braw. 'Sut fedra i eich cael chi i ddeall – wnes i ddim byd!'

'Dim byd! Dwyn car a hanner lladd geneth ddiniwed yn ddim byd!' gwaeddodd y Sarjant a gwthio Dyfrig yn ôl ar y soffa.

'Dyfrig Lewis, rwy'n dy arestio di ar amheuaeth dy fod wedi dwyn car neithiwr ym Mae Colwyn, gyrru'r car yn esgeulus ac achosi damwain ddifrifol.'

Ni chlywodd Dyfrig weddill geiriau'r Sarjant a'r rhybudd arferol, roedd wedi dychryn cymaint. Ar y gair, dyma'r drws ffrynt yn agor a'i dad a'i fam yn cerdded i mewn.

14

'Beth yn y byd sy'n digwydd yma?' gofynnodd Llew Lewis yn syn. 'Pwy ydach chi?'

'Ditectif Sarjant Colin Parri, a dyma Ditectif Cwnstabl Hughes,' meddai'r hynaf o'r ddau blismon gan gyflwyno'r llall. 'Dw i'n cymryd mai chi ydy Mr a Mrs Lewis, tad a mam Dyfrig?'

'Ie . . . ond . . . '

'Mae'n ddrwg gen i godi ofn arnoch chi fel hyn, Mr a Mrs Lewis, a chithau newydd fod yn y capel, ond rydw i newydd arestio eich mab, Dyfrig.'

'Ei arestio!' dywedodd ei fam wedi dychryn. 'Ond pam?'

'Mae yna gyhuddiadau difrifol iawn yn ei erbyn.'

'Cyhuddiadau? Pa fath o gyhuddiadau?' holodd ei dad.

'Mi fasai'n ddoethach i ni drafod hynny yn yr orsaf. Oes gynnoch chi gyfreithiwr, syr?'

'Cyfreithiwr?' ailadroddodd ei dad yn syn. 'Pam? Beth mae o wedi'i wneud?'

'Mi fasai'n well i ni drafod hynny yn yr orsaf, syr.'

'Dw i isio gwybod rŵan!'

'Dyfrig, beth rwyt ti wedi'i wneud? Dweda wrthon ni!' ymbiliodd ei fam wrtho.

'Dim, Mam, dim!'

'Wyt ti'n dweud y gwir, Dyfrig?' holodd ei fam gan eistedd mewn cadair freichiau. Yn anffodus eisteddodd ar y cylchgrawn roedd y plismon ifanc wedi dod o hyd iddo i fyny'r grisiau.

'Beth yn y byd ydy hwn? . . . O, na! O ble daeth y peth ffiaidd yma?'

'Mae'n ddrwg gen i, Mrs Lewis; Dyfrig piau fo. Mi ddaeth Cwnstabl Hughes o hyd iddo fo dan ei wely.'

Gafaelodd ei dad yn y cylchgrawn. 'Dw i'n aros am esboniad, Dyfrig!' gwaeddodd ar ei fab.

'Ffrind roddodd o i mi, doeddwn i ddim wedi gweld un o'r blaen . . . ' Chafodd o ddim amser i orffen ei eglurhad wrth i'w dad symud ymlaen a'i daro dros ei ben â'r cylchgrawn . . . unwaith . . . ddwywaith . . . deirgwaith, cyn i'r Sarjant ymyrryd a'i rwystro.

'Does gynnon ni ddim diddordeb yn y cylchgrawn, syr; dydy darllen cylchgronau fel hyn ddim yn drosedd.'

'Ac mae hynny'n gwneud y peth yn iawn, yndy?'

'Wnes i ddim dweud hynny, syr, ond materion eraill rydan ni isio'u trafod efo Dyfrig. Fel y dwedais i, materion difrifol dros ben.'

'Wel, i mi mae hyn yn ddigon difrifol; fy mab fy hun yn darllen budreddi fel hyn!'

'Dw i'n meddwl y dylech chi esbonio beth sy gynnoch chi yn erbyn Dyfrig, Sarjant,' meddai Glenys Lewis yn sydyn.

'Ga i ofyn ble'r oedd eich mab am hanner nos neithiwr, Mrs Lewis?'

'Allan; roedd o'n andros o hwyr yn dod yn ôl.'

'Oedd o, wir! Mi ddwedodd Dyfrig wrthon ni ei

fod o yma yn y tŷ efo chi . . . ' atebodd y Sarjant.

'Celwydd noeth!' gwaeddodd ei dad gan gydio yn y crys chwys oedd ar y bwrdd. 'Dw i'n gweld eich bod chi wedi dod o hyd i hwn hefyd. Ie, dyma roedd o'n ei wisgo pan ddaeth i mewn, tua dau o'r gloch y bore 'ma!'

'Wel, Dyfrig, pam dweud dy fod ti yma am hanner nos?' holodd y Sarjant.

'Roedd arna i ofn. Dau blismon yn dod i'r tŷ ac yn ymosod arna i.'

'Ti geisiodd redeg i ffwrdd pan ddaethon ni at y drws; doedd hi ddim yn anodd dod i'r casgliad fod gen ti rywbeth i'w guddio wedyn, nac oedd?'

'Dydych chi ddim wedi dweud eto beth mae o wedi'i wneud, Sarjant.' Cododd ei dad ei lais eto. 'Dw i'n credu bod gynnon ni hawl i wybod hynny.'

'Iawn . . . y . . . os ydach chi'n mynnu, ond rydw i eisoes wedi rhybuddio Dyfrig y byddwn ni'n cofnodi unrhyw beth mae o'n ddweud, ac y medrith gael ei ddefnyddio mewn tystiolaeth yn ei erbyn . . . Neithiwr, tua hanner awr wedi deg, cafodd car ei ddwyn o Fae Colwyn. Mae gynnon ni wybodaeth mai Dyfrig oedd yn gyrru'r car hwnnw.'

'Ond fedrith o ddim gyrru car; dydy o ddim yn ddigon hen,' torrodd ei fam ar draws y Sarjant.

Edrychodd hwnnw'n syn arni. 'Pam? Faint ydy ei oed o?'

'Un ar bymtheg.'

'Mae hynny'n gwneud pethau hyd yn oed yn waeth.'

'Ydy hyn yn wir, Dyfrig?' gofynnodd ei dad yn dawel.

'Nid dyna'r cwbl, mae arna i ofn,' aeth y Sarjant yn ei flaen. 'Tua hanner nos bu'r car mewn damwain yn y Rhyl a chafodd merch oedd yn y car ei hanafu'n ddifrifol. Mi welwyd llanc ifanc yn rhedeg o'r car, ac mae disgrifiad o'r llanc yn ffitio Dyfrig i'r dim.'

'Y ddamwain ar y radio y bore 'ma!' dywedodd ei fam.

'Ond roeddwn i ar lan y môr ym Mae Colwyn yr adeg honno,' protestiodd Dyfrig. 'Syrthiais i dros y canllaw a dyna sut rhwygais i fy nghrys.'

'Ond roeddet ti efo Llinos ar ôl deg o'r gloch; mae ei ffrindiau hi wedi dweud hynny wrthon ni'n barod. Ac ychydig dros awr yn ôl mi gawson ni wybodaeth dros y ffôn mai ti oedd y gyrrwr. Beth fydd gen ti i'w ddweud am hynny yn y llys pan fydd cyhuddiad o lofruddiaeth yn dy erbyn?'

'Na! Na!' Rhoddodd Dyfrig ei ben yn ei ddwylo a dechrau crio. Delyth! Hi oedd yr unig un oedd yn gwybod. Roedd hi wedi ei fradychu a ffonio'r heddlu. Roedd pethau ar ben arno rŵan!

Bu tawelwch llethol yn yr ystafell am dipyn wrth i'r pedwar edrych ar Dyfrig yn crio ar y soffa.

'Wel, gobeithio y cawn ni'r gwir rŵan, Dyfrig,' dywedodd y Sarjant yn fwy caredig. 'Os medri di ein helpu ni i ddod â'r achos yma i ben yn reit sydyn, mi fydd hynny'n siŵr o fod o dy blaid yn y llys. Efallai y cei di ddedfryd lai. Ond fedra i ddim addo dim, wrth gwrs. Mae llofruddiaeth yn gyhuddiad difrifol iawn.'

'Doeddwn i ddim isio dwyn y car,' dywedodd Dyfrig gan feichio crio. 'Hi oedd . . . '

'Mae eisiau chwip din go iawn arnat ti!' bloeddiodd ei dad yn sydyn, a golwg wyllt arno.

'Na, syr,' rhybuddiodd y Sarjant. 'Ers talwm roedd stîd go iawn yn gwneud y byd o les, ond rhaid i chi adael i'r llysoedd gosbi heddiw, neu mi fyddwch *chi*'n wynebu cyhuddiad hefyd.'

'Ewch â fo o'm golwg i!' gwaeddodd Llew Lewis.

'Iawn, syr, ar unwaith. Os dewch chi efo mi, a Mrs Lewis os ydy hi isio, mi gewch chi drefnu cyfreithiwr ac ati yn yr orsaf.'

'Ewch â fo o 'ma!' gwaeddodd Llew Lewis eto, a cherdded allan o'r ystafell, drwy'r drws cefn ac i'r ardd, yn amlwg wedi cynhyrfu drwyddo.

'Mam!' gwaeddodd Dyfrig, ar ei draed erbyn hyn, ac wedi cynhyrfu'n lân. 'Mi wnei di fy helpu fi, gwnei?'

Ond roedd ei fam yn ei dagrau ac yn eistedd a'i phen yn ei dwylo. Edrychodd hi ddim i fyny o gwbl.

Camodd y Cwnstabl ymlaen a rhoi'r cyffion ar Dyfrig.

'Mrs Lewis, ydych chi am ddod efo ni neu ydych chi am ddilyn yn eich car eich hun?' holodd y Sarjant.

Ysgydwodd ei fam ei phen yn dawel. 'Rhaid i mi aros i weld beth mae Llew yn ei ddweud . . . '

'Wel, dw i wedi cynnig. Mi gewch chi'n dilyn ni yn

nes ymlaen.'

Cafodd Dyfrig fraw o weld bod ei fam yn dewis ei anwybyddu fel hyn.

'Na! Na! Helpa fi! Helpa fi! Mae'n ddrwg gen i, Mam!' ond cafodd ei hebrwng yn ddiseremoni o'r tŷ ac i gefn car yr heddlu y tu allan. Wrth i'r car gychwyn, trodd Dyfrig i chwilio am ei fam, ond yn ofer.

15

Eisteddai Dyfrig gan syllu'n fud ar waliau'r gell. Roedd arno ofn. Beth oedd yn mynd i ddigwydd iddo? Roedd ar ben arno; roedd yn amlwg bod yr heddlu'n gwybod popeth am neithiwr. Pam roedd yn rhaid iddo fod mor hurt â dweud wrth Delyth? Byddai'n ei thagu petai'n cael gafael ynddi rŵan.

Yna clywodd sŵn traed yn nesáu a goriad yn troi yn y clo. 'Mae gynnoch chi ymwelwyr,' dywedodd y plismon. 'Dewch efo mi.'

Dilynodd Dyfrig y plismon nes cyrraedd ystafell ym mhen draw'r coridor lle'r oedd ei fam a'i ewythr Bryn yn eistedd. Teimlai Dyfrig ryddhad wrth eu gweld. Roedd yn falch nad oedd ei dad yno hefyd.

'Deng munud, iawn?' dywedodd y plismon, gan gau'r drws yn glep ar ei ôl.

Nid oedd gan Dyfrig y syniad lleiaf beth i'w ddweud.

'Wel, wyt ti'n mynd i ddweud rhywbeth? Ydan ni'n mynd i gael eglurhad?' gofynnodd ei ewythr mewn llais uchel.

'Mae'n ddrwg gen i, Mam . . . mae'n wirioneddol ddrwg gen i . . . wn i ddim beth ddaeth drosto i. Dw i erioed wedi gwneud rhywbeth fel hyn o'r blaen, a wna i fyth eto, dw i'n addo!'

'Chei di ddim cyfle, beth bynnag, am amser hir,' torrodd ei ewythr ar ei draws. 'Oes gen ti unrhyw syniad beth fydd hyn yn ei wneud i dy dad a dy fam?

Dyma nhw, wedi ceisio rhoi'r gorau i ti erioed a dyma sut rwyt ti'n talu'n ôl iddyn nhw – dwyn car, cymryd cyffuriau a hanner lladd rhyw hogan. Mae'r peth yn anghredadwy!'

Roedd tawelwch llethol yn yr ystafell. Nid oedd Dyfrig yn gwybod sut i ymateb i eiriau ei ewythr ac eisteddai ei fam yn hollol fud gan syllu ar y llawr. Roedd ei hwyneb yn wyn a'i llygaid yn goch.

'Roedd dy dad am dy adael di i'r plismyn,' dechreuodd ei ewythr eto. 'I dy fam mae'r diolch am gael gafael arna i er mwyn ceisio gwneud rhywbeth i dy helpu di . . . wedi'r cyfan, mae gwaed yn dewach na dŵr.'

'Be sy'n mynd i ddigwydd imi?' holodd Dyfrig mewn llais crynedig.

'Unwaith y bydd cyfreithiwr wedi cyrraedd mi gei di dy holi gan y plismyn.'

'Mi fydd y cyfreithiwr yn fy helpu i fynd o'r lle 'ma, bydd?'

'Does dim llawer medrith o ei wneud,' atebodd ei ewythr yn swta, ond ar hynny dyma'r drws yn agor ac roedd yn amser i'r ddau adael.

'Mi arhoswn ni hyd nes i'r cyfreithiwr gyrraedd,' ychwanegodd ei ewythr wrth i'r drws gau.

Roedd Dyfrig ar ei ben ei hun unwaith eto. Teimlai'n waeth o lawer yn awr. Sylweddolodd ei fod wedi brifo'i fam yn ofnadwy. Doedd hi ddim wedi yngan gair wrtho yr holl amser. Gwyddai nad oedd ei fam yn haeddu hyn; roedd hi wastad wedi rhoi o'i gorau iddo.

Aeth chwarter awr heibio cyn i'r cyfreithiwr gyrraedd, ac wrth i'r plismon ei arwain i'r ystafell eglurodd, 'Mi gewch chi gyfle i gael sgwrs efo'ch cyfreithiwr cyn cael eich holi'n ffurfiol.'

Ysgydwodd y cyfreithiwr law Dyfrig. 'Llŷr Parri ydw i.'

'Pryd ga i fynd adref?' holodd Dyfrig yn syth mewn llais uchel, wrth i'w ewythr Bryn a'i fam gerdded i mewn.

'Wel, ceisiwch beidio â phoeni, ond mae tipyn i'w wneud cyn hynny,' atebodd y cyfreithiwr yn garedig.

'Be ydy'r drefn rŵan?' gofynnodd Ewythr Bryn.

'Wel, mae arna i ofn bod yr heddlu'n ystyried hwn yn achos difrifol. Bydd nifer o gyhuddiadau posib – dwyn car, gyrru heb drwydded nac yswiriant, gyrru'n ddiofal . . . roedd olion cyffuriau yn y car ac mae'r ferch yn wael iawn yn yr ysbyty; dydy pethau ddim yn edrych yn rhy dda iddi. Mae'n rhaid i mi eich rhybuddio y bydd yr heddlu'n gofyn i Dyfrig gael ei gadw mewn canolfan i droseddwyr ieuainc. Ar ôl cael ei holi heno, mae'n debyg y bydd yn ymddangos o flaen llys ieuenctid yfory.'

Roedd geiriau'r cyfreithiwr wedi ysgwyd Dyfrig. Ymddangos yn y llys, efallai mynd i ganolfan i droseddwyr ifainc! Roedd yn anodd credu hyn i gyd.

'Reit, Dyfrig. Dw i eisiau clywed y stori i gyd,' dywedodd y cyfreithiwr. 'Cofiwch mai yma i'ch helpu chi ydw i. Gobeithio y gallwn ni ddod o hyd i ryw amddiffyniad i chi. Cofiwch, fydda i ddim yn dweud unrhyw beth rydych chi'n ddweud wrtha i wrth yr heddlu.'

'Mae'n rhaid i ti ddweud y gwir, Dyfrig – dweud popeth wrth Mr Parri,' dywedodd ewythr Bryn. 'Mae'n bwysig bod popeth yn y golwg neu mi fyddi di'n teimlo'n euog am weddill dy oes. Yna mae'n rhaid wynebu dy gosb – a theulu neu beidio, yn sicr rwyt ti'n haeddu cael dy gosbi am y pethau rwyt ti wedi'u gwneud. Efallai wedyn bydd gobaith i ti ailddechrau byw dy fywyd.'

'Os ga i ddechrau clywed stori Dyfrig, os gwelwch yn dda; mae amser yn brin . . . ' dywedodd y cyfreithiwr braidd yn flin.

Treuliodd Dyfrig yr ugain munud nesaf yn adrodd yr hanes, gyda'r cyfreithiwr yn torri ar ei draws bob hyn a hyn gan ofyn am fwy o fanylion. Trwy hyn i gyd eisteddai ei fam a'i phen yn ei dwylo tra bod ei ewythr yn ebychu mewn anghrediniaeth nawr ac yn y man.

'Diolch i chi am fod mor fanwl, Dyfrig. Yn sicr bydd yn rhaid i chi bledio'n euog – mae cymaint o dystiolaeth yn eich erbyn. Fydd hi ddim yn hawdd pledio amgylchiadau arbennig chwaith . . . ond mae'n gynnar eto; efallai daw rhyw weledigaeth.'

'Be sy'n mynd i ddigwydd rŵan?' gofynnodd Dyfrig yn bryderus.

'Bydd yr heddlu'n eich holi chi nesaf, ond mi fydda i yno i edrych ar eich ôl chi. Unwaith y bydd hynny drosodd, mi gawn ni weld . . . '

Cododd y cyfreithiwr ar ei draed, casglu ei bapurau at ei gilydd a chanu'r gloch. Daeth plismon i agor y drws a dywedodd Mr Parri wrtho fod Dyfrig yn barod i gael ei holi.

* * *

'Dyma ti, brecwast!' gwaeddodd y plismon wrth ysgwyd Dyfrig i'w ddeffro. Trodd ar ei sawdl a chloi'r drws ar ei ôl.

Gwawriodd realiti'r sefyllfa ar Dyfrig. Roedd yn teimlo'n ofnadwy ar ôl cysgu'n drwm, er mai dim ond rhyw ddwy awr o gwsg a gawsai. Edrychodd ar y bwyd seimllyd ar yr hambwrdd gwyn, plastig o'i flaen. Nid oedd arno awydd bwyd o gwbl ond cydiodd yn y cwpan ac yfed ychydig o'r te. Roedd yn gryf ofnadwy a blas afiach arno.

Eisteddodd ar y fatras foel, ei feddwl unwaith eto'n gwibio yn ôl a blaen dros ddigwyddiadau dramatig y ddau ddiwrnod diwethaf. Roedd cael ei holi am awr ar dâp gan yr heddlu yn brofiad erchyll; roedden nhw wedi ceisio gwneud pethau'n waeth nag oedden nhw mewn gwirionedd a gwneud iddo gyfaddef pethau nad oedd wedi digwydd. Bellach, roedd o'n edrych ymlaen at fynd i'r llys ynadon a chael mynd adref. Neithiwr roedd y cyfreithiwr wedi dweud y byddai ganddo obaith da iawn cael mechnïaeth gan mai dyma'r tro cyntaf iddo fod mewn unrhyw drafferth.

Llusgodd yr amser, ond erbyn hanner awr wedi deg roedd ei fam a'i Ewythr Bryn wedi cyrraedd gyda dillad iddo ar gyfer y llys. Roedd y cyfreithiwr wedi dweud ei bod hi'n bwysig creu argraff dda, felly roedd yn mynd i wisgo'i siwt orau a chrys a thei. Nid oedd unrhyw sôn am ei dad, a phenderfynodd Dyfrig beidio â holi dim amdano.

Erbyn hanner dydd roedd Dyfrig yn y doc yn y llys ynadon a phlismon yn eistedd wrth ei ochr. Edrychodd o'i gwmpas. Dim ond saith o bobl eraill oedd yn yr ystafell – ei fam a'i ewythr, dyn arall y tu ôl iddynt yn y seddau cyhoeddus, ei gyfreithiwr a dau ddyn arall yn y blaen a merch wrth gyfrifiadur.

Yn sydyn agorodd drws ym mhen blaen yr ystafell a siarsiodd Clerc y Llys bawb i sefyll. Cerddodd yr ynadon, dwy ddynes a dyn, i mewn. Ar ôl iddynt eistedd trodd y clerc at Dyfrig a gofyn iddo gadarnhau ei enw a'i gyfeiriad a'i ddyddiad geni. Yna darllenodd y cyhuddiadau yn ei erbyn.

'Fe'ch cyhuddir, Dyfrig Lewis, eich bod ar Fedi'r ugeinfed eleni wedi dwyn car ym Mae Colwyn a'i yrru heb drwydded a heb yswiriant dilys. Yn ogystal, fe'ch cyhuddir o yrru'r car yn ddiofal yn y Rhyl yr un diwrnod ac o achosi damwain a arweiniodd at anafu Llinos Prydderch yn ddifrifol.'

'Oes cais am fechnïaeth?' gofynnodd Cadeiryddes y Fainc.

'Oes.' Cododd Mr Parri i'w hateb.

'Iawn, mi glywn ni'r cais yn awr.'

'Mae ymddangosiad Dyfrig Lewis yn y llys hwn heddiw'n fater o bryder mawr iddo ac mae ei noson yng nghelloedd yr heddlu wedi bod yn brofiad na fydd byth yn ei anghofio nac yn ei ailadrodd. Daw Dyfrig o deulu parchus ac mae'r weithred wirion a arweiniodd at ei ymddangosiad yma heddiw yn gwbl annodweddiadol ohono ef a'i deulu. Mae ei dad yn flaenor yn y capel lleol ac nid yw Dyfrig erioed wedi bod mewn trafferth o'r blaen. Mae o'n ddisgybl ysgol ym Mlwyddyn 11 a bydd yn sefyll ei arholiadau TGAU eleni. Mae disgwyl iddo wneud yn dda iawn yn ei arholiadau, mynd ymlaen i'r chweched dosbarth ac i'r brifysgol yn y pen draw. Pan ddaw'r achos yma o'ch blaen yn ffurfiol, byddaf yn cynnig amddiffyniad i'r cyhuddiadau. Felly rwyf yn erfyn arnoch i roi mechnïaeth i Dyfrig Lewis, yn bennaf er mwyn iddo gael parhau â'i addysg a gwireddu'r potensial sicr sydd ynddo. Mae ei rieni'n fodlon iawn gofalu amdano, ac wrth gwrs bydd Dyfrig yn barod iawn i gytuno i unrhyw amodau y byddwch chi'n dymuno eu gosod fel rhan o'r fechnïaeth.'

'Oes unrhyw wrthwynebiad, Mr Morris?' gofynnodd y gadeiryddes i ddyn oedd yn eistedd wrth yr un bwrdd â Llŷr Parri.

'Oes, yn sicr,' atebodd y dyn gan godi ar ei draed. 'Oherwydd natur y cyhuddiadau hyn, mae'r Goron yn gofyn i chi beidio â chaniatáu mechnïaeth. Mae'r ferch dan sylw, Llinos Prydderch, a anafwyd yn y ddamwain, ar beiriant cynnal bywyd yn Ysbyty Walton, Lerpwl. Rwy'n deall y bydd rhagor o gyhuddiadau yn dilyn – rhai ohonyn nhw'n ymwneud â chyffuriau.'

Teimlai Dyfrig yn bryderus iawn wedi clywed y fath wrthwynebiad, a beth am Llinos? Ni allai gredu bod ei bywyd mewn perygl. Roedd ei stumog yn troi a'i ben yn teimlo fel petai'n mynd i hollti. Roedd y tri ynad yn brysur yn siarad â'i gilydd, a phawb arall yn eistedd yn ddistaw ac yn amyneddgar. Yna, gofynnodd y gadeiryddes iddo sefyll.

'Dyfrig Lewis. Rydym wedi ystyried geiriau eich cyfreithiwr yn ofalus ac yn sylweddoli bod hwn yn gyfnod pwysig iawn yn eich gyrfa academaidd. Ond mae'r cyhuddiadau yn eich erbyn yn rhai difrifol dros ben; yn wir y rhai mwyaf difrifol i ddod o flaen y llys hwn ers amser hir. Mae'n ddyletswydd arnom felly i wrthod mechnïaeth. Byddwch yn cael eich cadw mewn carchar ieuenctid, naill yn Swydd Amwythig neu Swydd Gaerhirfryn, ac yn ymddangos o flaen y llys hwn eto ar Hydref yr ail. Ewch â fo i lawr.'

Teimlai Dyfrig ei goesau'n gwegian odano ond cydiodd y plismon yn ei fraich a'i arwain yn ddiseremoni i lawr y grisiau i'r celloedd o dan y llys. Ni chafodd gyfle i weld ei fam yn crio yn y seddau cyhoeddus.

Yn y gell gorchmynnodd y plismon i Dyfrig dynnu ei dei a chareiau ei esgidiau. Eisteddodd ar y fatras a chladdu ei ben yn ei ddwylo. Roedd ar fin torri i lawr ond roedd yn benderfynol na fyddai'r heddlu yn ei weld yn crio. Am y tro cyntaf yn ei fywyd roedd arno wirioneddol ofn.

Yna clywodd sŵn goriad yn troi a daeth Llŷr Parri a'i ewythr Bryn i mewn.

'Peidiwch â phoeni, Dyfrig,' dywedodd y cyfreithiwr gan roi llaw gysurlon ar ei ysgwydd. 'Bydd cyfle arall i geisio am fechnïaeth mewn deng niwrnod.'

'Ble mae Mam?' gofynnodd Dyfrig yn sydyn.

'Yn y car. Doedd hi ddim yn medru wynebu dod i mewn,' dywedodd ei ewythr gan ysgwyd ei ben. 'Pam, o pam roedd yn rhaid i ti wneud ffasiwn beth?'

Ar hynny dyma blismon a swyddog arall yn cerdded i mewn. 'Iawn, Dyfrig Lewis, mae'n amser gadael. Rydyn ni wedi dod o hyd i le i ti yn Swydd Amwythig.'

Symudodd y swyddog tuag at Dyfrig a gosod cyffion arno cyn ei arwain o'r adeilad ac i mewn i fan fawr gerllaw. 'Does gen ti ddim cwmni yn y fan heddiw, mae arna i ofn, ond bydd digon o hogiau tebyg i ti yn aros i dy groesawu yn y pen arall,' chwarddodd yn wawdlyd.

Eisteddodd Dyfrig ar y sedd hir yn y fan, ac wrth iddi droi i'r ffordd fawr, trwy'r ffenestri tywyll gallai weld pobl yn gwau trwy ei gilydd ar hyd palmentydd y dref brysur heb unrhyw ofal yn y byd. Ni allai Dyfrig ddal rhagor a dechreuodd feichio crio am yr ail dro o fewn dau ddiwrnod. Nid oedd ei fywyd erioed wedi ymddangos mor ddu.

Ar ôl taith o ymhell dros ddwy awr cyrhaeddodd y fan y carchar ieuenctid. Tra oedd y gyrrwr yn holi am ganiatâd i fynd i mewn sylwodd Dyfrig ar y ffens uchel a amgylchynai'r carchar.

16

'Mwynhaea dy wyliau!' meddai'r ddau dywysydd wrth drosglwyddo Dyfrig i ofal dau swyddog y carchar ieuenctid.

'A Welsh boy, are you?' gofynnodd un ohonynt braidd yn flin. 'Well you can forget that foreign language in here!'

Aethant â Dyfrig i ystafell gyfagos. Cafodd ei ffrisgio gan un ohonynt ac yna gorchmynnodd ef i dynnu ei ddillad.

'You won't be needing that wedding suit now,' chwarddodd yn wawdlyd, 'and she will have found somebody else by the time you get out anyway!'

Mae'n amlwg bod y ddau'n gwybod pam roedd Dyfrig wedi dod i'r carchar achos cafodd ei holi'n fanwl am gyffuriau a chwiliwyd ei freichiau am farciau nodwyddau. Yna roedd arnynt eisiau gwybod a oedd wedi cael prawf HIV. Ceisiodd Dyfrig eu darbwyllo nad oedd yn cymryd cyffuriau, ond yn ofer.

Estynnodd un ohonynt drowsus, crys-T a siwmper ysgafn i Dyfrig ac ar ôl caniatáu amser iddo wisgo'r rheiny arweiniodd y llall ef i'w 'gartref' newydd, chwedl y swyddog.

'A new playmate for you, Rogers!' dywedodd wrth y dyn ifanc tu mewn i ystafell C3. Cododd hwnnw ar ei draed, edrych yn gas ar Dyfrig a cherdded allan.

'Don't worry, you'll get used to him. We have!' a gadawyd Dyfrig ar ei ben ei hun.

Edrychodd o gwmpas yr ystafell – gwelyau bync, bwrdd a dwy gadair, ffenest fach uwch ei ben gyda bariau drosti a lluniau merched bronnoeth ar hyd un wal.

Roedd dillad ar y gwely uchaf ac felly aeth Dyfrig i orwedd ar y gwely isaf. Roedd yn teimlo mor unig ac mor ofnus. Caeodd ei lygaid yn dynn i geisio rhwystro'i hun rhag crio.

'What!' Roedd yr hogyn arall yn ôl ac mewn chwinciad roedd wedi gafael yn Dyfrig, ei lusgo ar ei draed a'i daflu yn erbyn y wal.

'That's my f . . . bed!'

'I'm sorry . . . I thought yours was the top one as there were clothes on it.' Cafodd Dyfrig gryn drafferth i gael ei eiriau allan gan fod y llall yn gwasgu ei fraich yn ymyl ei wddf.

Tynnodd Rogers ei fraich i ffwrdd a gwthio Dyfrig ar draws yr ystafell. 'Well just you f . . . remember that in future!' Trodd a mynd i eistedd wrth y bwrdd a dechrau darllen papur newydd. Doedd Dyfrig ddim yn gwybod beth i'w wneud na'i ddweud. Roedd ei fraich a'i wddf yn brifo'n ofnadwy ar ôl yr ymosodiad.

'Visitors for you, Dyfrig Lewis!' Un o'r swyddogion oedd wrth y drws.

Mam ac Ewythr Bryn, diolch byth! meddyliodd, ond roedd andros o siom yn ei ddisgwyl pan welodd mai neb llai na Ditectif Sarjant Colin Parri a Ditectif Cwnstabl Hughes oedd yn aros amdano.

'Eistedda, Dyfrig,' meddai'r Sarjant. 'Mae datblygiad wedi bod yn dy achos di. Bu farw Llinos Prydderch yn yr ysbyty amser cinio heddiw.'

'Beth? O na!' Roedd Dyfrig yn methu credu'r newyddion. 'Wnes i ddim ceisio ei lladd hi . . . na . . . na!'

'Mae hyn yn golygu bod cyhuddiad mwy difrifol yn dy erbyn di bellach. Dyfrig Lewis, dw i'n eich cyhuddo chi'n ffurfiol o ddynladdiad, trwy ladd Llinos Prydderch yn y Rhyl ar Fedi yr ugeinfed wrth yrru car a oedd wedi ei ddwyn . . . ' ac aeth ymlaen gyda'r rhybudd arferol.

Eisteddodd Dyfrig yn fud a'i ben yn ei ddwylo.

'Welwn ni ti yn y llys,' dywedodd y Sarjant wrth godi i fynd.

'Pryd bydd Mam ac Ewythr Bryn yn dod i fy ngweld i?' holodd Dyfrig yn sydyn.

'Dim syniad,' atebodd y Sarjant. 'Synnwn i ddim na ddôn nhw ddim o gwbl. Byddwn i'n gadael i ti bydru yma taset ti'n fab i mi!'

Curodd y Sarjant ddwywaith ar ddrws yr ystafell fel arwydd i swyddog y carchar i'w adael yntau a'r ditectif allan.

'Right, Lewis, on your feet! It's supper time. A chance for you to sample our gourmet food!' gwaeddodd swyddog y carchar.

'Dw i ddim isio bwyd!'

'I've told you once, you speak English here! Now, get on your feet and move.'

Penderfynodd Dyfrig ei bod yn well ufuddhau. Roedd ymhell dros hanner cant o ddynion ifanc yn y ffreutur. Cymerodd un o'r platiau ac ymuno â rhes y rhai oedd yn disgwyl cael bwyd.

Diolchodd fod bwrdd gwag ar gael, ac aeth Dyfrig i eistedd wrtho. Teimlai fod llygaid pawb arno. Dechreuodd bigo yn y pysgodyn crimp o'i flaen. Nid oedd y sglodion a'r ffa pob yn edrych fawr gwell ac roedd y cwstard dros y sbwng afal yn lympiau i gyd.

'You're new, aren't you?' meddai llanc wrth ddod i eistedd wrth ymyl Dyfrig.

Roedd Dyfrig yn andros o falch o glywed llais cyfeillgar ac yn wir roedd yn fachgen clên iawn. Dywedodd wrth Dyfrig y byddai'n siŵr o ddod i arfer â'r lle'n fuan, ac ond iddo beidio â 'dobio' neb i'r swyddogion, peidio croesi arweinwyr y gangiau na dangos ei fod yn ofnus ohonynt, dylai fod yn iawn.

Ar hynny dyma'r hogyn oedd yn rhannu cell â fo heibio. Edrychodd yn syth i fyw llygaid Dyfrig a gwgu'n hyll arno. Cafodd Dyfrig ei siarsio gan ei ffrind newydd i beidio cymryd sylw o hwn ac i gadw'n glir ohono gan mai ef oedd un o'r rhai gwaethaf yna.

'But I've got to share a cell with him!'

'Just do what he says then, mate . . . just do what he says or your life will be hell!'

Gwelodd Dyfrig fod Rogers wedi mynd i chwarae pŵl ym mhen draw'r ffreutur a phenderfynodd ddianc yn ôl i'w ystafell. Wedi cyrraedd, dringodd i'r gwely uchaf a gorwedd ar ei gefn. Caeodd ei lygaid yn dynn er mwyn ceisio peidio crio eto. Gwyddai fod yn rhaid iddo fod yn ddewr, ond aeth cryndod drwyddo wrth feddwl am wynebu'r Rogers yna eto.

Nid oedd rhaid iddo aros yn hir. Cerddodd Rogers i mewn a dechrau troi o gwmpas yr ystafell heb ddweud dim. Penderfynodd Dyfrig fod yn well iddo dorri gair.

'I'm sorry about before,' meddai Dyfrig mewn llais crynedig.

'Wel, cofia di hynny o hyn ymlaen,' brathodd yn ôl.

'Rwyt ti'n siarad Cymraeg!' dywedodd Dyfrig gyda rhyddhad. Roedd yn hynod o falch o glywed Cymraeg, hyd yn oed gan hwn.

'Gwilym Rogers o Ddolgellau at dy wasanaeth! Ond William yma yn y carchar. Ond paid ti byth siarad Cymraeg â mi tu allan i'r gell yma – dallt?' gwaeddodd yn fygythiol i wyneb Dyfrig.

'Rŵan dos i molchi. Bydd y golau'n mynd allan 'mhen chwarter awr. Dw i ddim isio rhannu cell efo rhyw fastard drewllyd.'

Ufuddhaodd Dyfrig ar unwaith. Roedd yn falch o ddianc o'r ystafell ond roedd swyddog eisoes wedi cyrraedd yr ystafelloedd ymolchi yn rhybuddio mai ond pum munud oedd ganddynt cyn y câi'r celloedd eu cloi.

'Oes gen ti rywbeth i ni heno?' gofynnodd Gwilym mewn llais isel wrth i Dyfrig ddychwelyd.

'Be wyt ti'n feddwl?' atebodd Dyfrig.

'Rhywbeth i ni gymryd, dymbo!'

'Na . . . '

'Ddest ti â dim byd i mewn efo ti, felly?'

'Naddo.'

'Rwyt ti'n f . . . anobeithiol. Gwna'n siŵr fod dy fêts yn dod â pheth y tro nesa maen nhw'n dod i dy weld di. Dallt?'

'Iawn,' atebodd Dyfrig ond roedd yn sicr bellach na fyddai'r rheiny'n dod i'w weld beth bynnag.

'Good night, lads. Sleep tight!' llais un o'r swyddogion wrth eu cloi i mewn am y noson.

Teimlai Dyfrig yn fwy anesmwyth fyth, ond roedd gwaeth i ddod wrth i Gwilym dynnu cyllell sbring o goes ei drowsus a'i chwifio yn ei wyneb.

Camodd Dyfrig yn ôl mewn braw.

'Does neb yn sefyll yn fy erbyn i . . . neb . . . cofia di hynny,' rhybuddiodd. Trodd a chladdu llafn y gyllell yn y bwrdd yn fygythiol.

Aeth i'w boced a thynnu llun o ferch allan. ''Y nghariad i,' dywedodd wrth ei ddangos i Dyfrig. 'Wnaeth rhywun feiddio cyboli â hi ond mi wnes i hanner ei ladd o. Dyna pam dw i yma, ond pan fydda i allan mi gaiff gweir arall, rwy'n addo hynny iddo!'

Cydiodd yn y gyllell eto a gwneud ystumiau trywanu i gyfeiriad Dyfrig. Roedd golwg wyllt unwaith eto ar ei wyneb a'i lygaid yn llawn casineb.

Roedd rhywbeth wedi syrthio o'i boced a phlygodd i'w godi. Unwaith eto edrychodd Dyfrig yn syn wrth weld bod condom yn ei law.

'Bydd yn rhaid i ti gofio gofyn i dy fêts ddod â rhai o'r rhain efo nhw hefyd,' chwarddodd.

'Does dim posib cael gafael ar ferched yma, nag oes?' gofynnodd Dyfrig yn ddiniwed.

'Nag oes, siŵr, ond pan does dim merch ar gael ac rwyt ti'n methu dal rhagor bydd yn rhaid i hogyn wneud y tro. Croeso i fyd go iawn y carchar! Pwy a ŵyr – ni'n dau efallai wythnos nesa!'

Neidiodd Dyfrig wrth i olau'r gell ddiffodd.

'Reit, i'r ciando, a dim chwyrnu,' siarsiodd Gwilym Rogers.

Penderfynodd Dyfrig beidio dadwisgo wrth ddringo i'r gwely uchaf. Nid oedd erioed wedi teimlo mor ofnus a dryslyd. Roedd yn crynu'n ofnadwy erbyn hyn ond gwyddai y byddai'n rhaid iddo gadw rheolaeth arno'i hun. Gwibiodd digwyddiadau'r pedair awr ar hugain diwethaf yn ôl ac ymlaen yn ei feddwl. Daeth wyneb gwaedlyd Llinos i aflonyddu arno eto ac eto. Roedd y cryndod yn gwaethygu a Dyfrig yn methu ei reoli.

'Be wyt ti'n wneud i fyny fanna? Rho'r gorau iddi!'

Ond rhy hwyr, roedd Dyfrig yn methu dal rhagor a dechreuodd feichio crio.

Neidiodd Gwilym ar ei draed a dechrau ysgwyd Dyfrig yn wyllt.

'Rho'r gorau iddi! Rho'r gorau iddi! Dw i isio cysgu!'

'Iawn . . . sori . . . mi gysga i rŵan.' Cafodd nerth o rywle i siarad.

'F . . . babi mam!' gwaeddodd Gwilym yn gas wrth ei daflu'n ôl ar ei wely. Diolchodd Dyfrig ei fod wedi mynd yn ôl i'w wely ei hun wedyn.

Gwyddai Dyfrig fod yn rhaid iddo reoli ei hun er gwaethaf y cryndod oedd yn mynd trwy'i gorff. Roedd yn brifo drosto ac roedd y digwyddiadau'n dal i wibio drwy ei feddwl. Roedd yn anobeithio'n fwyfwy bob munud. Pa fath o ddyfodol oedd ganddo rŵan? . . . Fyddai ei rieni a'i ffrindiau eisiau ei arddel ar ôl iddo ddod allan? . . . Sut roedd e'n mynd i fyw gyda'r ffaith ei fod wedi lladd Llinos? . . . Sut roedd e'n mynd i wynebu blynyddoedd mewn cell efo'r nytar oedd yn gorwedd odano? . . . Beth petai hwnnw'n ceisio ei dreisio? . . . Roedd y cwestiynau a'r ofnau'n ddiddiwedd.

Yn ddiarwybod iddo bron daeth rhyw esmwythdod rhyfedd drosto'n raddol. Aeth ei feddwl yn ôl i fore ddoe pan oedd ar ben y clogwyn ar ôl i Delyth ei adael. Cofiodd sut roedd y môr yn ei ddenu, ac roedd yn ei ddenu eto. Gallai glywed Gwilym yn anadlu'n drwm; roedd yn cysgu'n sownd.

* * *

'Rise and shine!' Un o'r swyddogion oedd yn curo ar ddrws y gell ac yna'n ei ddadgloi.

105

Ar ôl munud cododd Gwilym yn araf o'i wely. Yr eiliad nesaf roedd yn rhedeg o'r gell yn gweiddi nerth ei ben. 'Help! Help! Come quick!'

Cyrhaeddodd swyddog ond yr unig beth y gallai Gwilym ei wneud oedd pwyntio at y gell, ei lygaid yn llawn braw.

'What the hell's g . . . ' ond ni orffennodd y swyddog ei gwestiwn. Rhuthrodd o'r gell a chanu'r larwm, ac mewn chwinciad roedd tri swyddog arall wedi ymuno ag ef. Ond roedd yn rhy hwyr – roedd Dyfrig wedi llwyddo i ladd ei hun.

Rhai o'r teitlau diweddaraf yng nghyfres Nofelau'r Arddegau

Adlais, Shoned Wyn Jones (Y Lolfa)
O Na Byddai'n Haf o Hyd, addas. Manon Rhys (Gomer)
Tipyn o Gamp, addas. W.J. Jones (Gwynedd)
Oni Bai am Bedwyr, addas. Elin Dalis (Gomer)
Jabas 2, Penri Jones (Dwyfor)
Nefoedd Wen!, Dafydd Price Jones (Gee)
Prosiect Nofa, Andras Millward (Y Lolfa)
Heb ei Fai . . ., Elwyn Ashford Jones (Gomer)
Angharad, Mair Wynn Hughes (Gomer)
Maggie, addas. Rhian Pierce Jones (Gomer)
Y Sêr a Wêl, Ross Davies (Gomer)
Dan Leuad Llŷn, Penri Jones (Y Lolfa)
Samhain, Andras Millward (Y Lolfa)
Llinynnau Rhyddid, addas. Rhian Pierce Jones (Gomer)
Mac, Rhian Ithel (Gomer)
Y Mabin-od-i, Hilma Lloyd Edwards (Y Lolfa)
Charlie, Gwen Redvers Jones (Gomer)
Coch yw Lliw Hunllef, Mair Wynn Hughes (Gomer)
Un Cythraul yn Ormod, Andras Millward (Y Lolfa)
Byth Ffarwêl, Mair Wynn Hughes (Gomer)
Babanod Blawd, addas. Emily Huws (Gomer)
Dala'u Tir, addas. Delyth George (CLC)
Cicio a Brathu, addas. Esyllt Penri (Carreg Gwalch)
Pla 99, addas. Esyllt Penri (Carreg Gwalch)
Ffridd y Cythreuliaid, addas. Gruff Roberts (Gwynedd)
Heia, Sbecs!, Mair Wynn Hughes (Gomer/CBAC)
Joni a'r Meirwon, addas. Aled P. Jones (Gomer)
Dyddiau Cŵn, Gwen Redvers Jones (Gomer)
Glesni, addas. Elin ap Hywel (Gomer)
Paid â 'Ngadael i, addas. Eleri Dafydd (Gomer)
Dim ond Ti all Achub y Ddynoliaeth, addas. Aled P. Jones, (Gwynedd)

Bywyd am Fywyd, Mair Wynn Hughes (Gomer)
Callia, Alun!, Haf Williams (Y Lolfa)
A Gwrandawodd y Môr . . . , addas. Nansi Pritchard
    (Carreg Gwalch)
Cariad Cari, Helen Davies (Gomer)
Y Garreg Neidr, addas. Mari Morgan (Gomer)
Boz a Sleimi, Mari Williams (Gomer)